何時開始預測天氣？

從很久以前，人們已經知道預測天氣的重要性。

遠古時期

在距今一萬多年前，人們因狩獵、農耕及畜牧的需要，開始記下天空的特徵，如雲、雪和風的變化，但還未了解它們之間的關係。

[illegible]作《氣象[illegible]象的原理[illegible]等，其內容雖然在今天來看未必完全準確，卻是氣象學的重要基石。

觀察動物

差不多同一時期，有學者發現動物的觸覺比人類敏銳，會對天氣變化更快作出反應，他們觀察到如青蛙一直鳴叫，接下來就會有大雨雷暴等，能藉動物的行為來預測天氣。

戰禍連年

在中世紀，歐洲各國接連發生戰爭，科學研究基本上難以發展。到了後期，各國戰艦因風暴沉沒，還有暴雨和旱災令農作物失收，導致戰事失利及饑荒頻生，令人們致力找出「異常現象」的真正原因。

科學儀器

來到17至18世紀，科學家發明出能夠測量氣壓、濕度、溫度、雨量等的儀器，並利用實驗及記錄觀察所得的資料，來預測未來一兩天的天氣，發展出專門的氣象學。

天氣預報

1861年，英國氣象局局長羅伯特．菲茨羅伊收集了各地的天氣情報後，每天在報紙上刊登天氣預報，是政府機關首次定期公佈天氣。

天氣 VS. 氣候

天氣

指短時間內的氣象變化，如天文台公佈的九天天氣預測。

11/7	12/7	13/7	14/7	15/7	16/7

氣候

指長時間的平均氣象變化，如統計十年或三十年的平均天氣狀況。

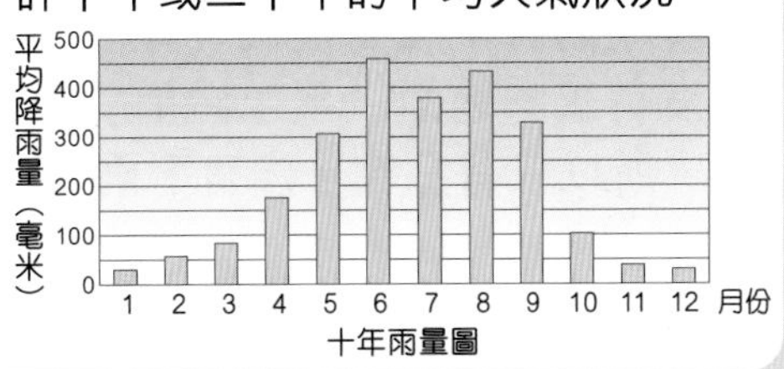

十年雨量圖

不是說「火燒雲」才會下雨嗎？早上天氣很好啊！

這些諺語是由前人觀察和經驗累積而成，卻不一定準確。

天氣諺語對與錯！

早燒不出門，晚燒行千里

燒就是像火燒般的橙紅色雲和霧，即是在清晨看到橙紅色的雲，當天就會下雨，不要出門，而在黃昏看到這種雲，表示會天朗氣清。

Photo Credit: "Flying Blue Sunrise" by Jessie Eastland / CC BY-SA 3.0

原理

雲霧會呈現紅色的「火燒雲」，是因為陽光中波長較短的藍光在大氣中被散射，餘下波長較長的紅、橙及黃色光反射到地面而形成的。

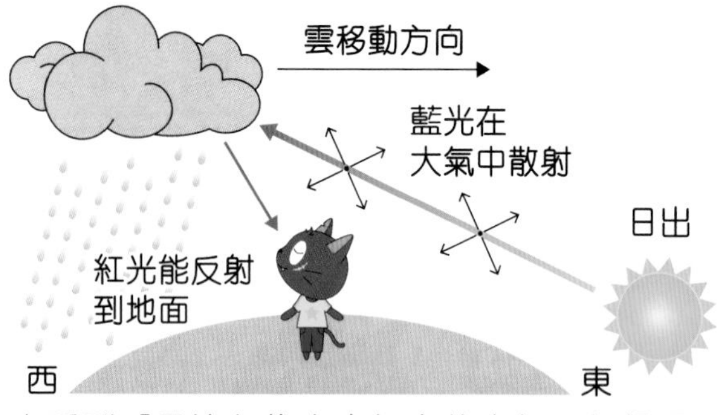

↑看到「早燒」代表空氣中的水氣已經很多，當雲從西向東移時，就會較大機會下雨。

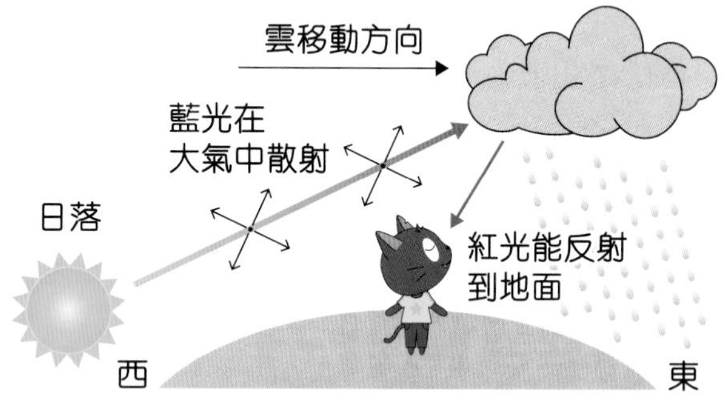

↑看到「晚燒」表示雲已飄去，所以很大機會放晴。

諺語準確嗎？ 要根據當時的風向及其他氣象資料作綜合分析，不一定準確啊。

雷公先唱歌，有雨也不多

通常打雷都會伴隨着大雨，但是如果先打雷的話，就算下雨也不會多。

原理

這種沒有雨的雷電稱為「旱天雷」，因為形成雷的雲位於較高處，濕度很低，降雨未到達地面已經蒸發了，沒有落到地面，不過雷電能穿過乾燥的空氣落到地上，所以只有打雷，沒有下雨。

諺語準確嗎？ 還要觀察風向，如較低層的雲移近就會形成暴雨。而且旱天雷容易引起山火，要非常小心啊！

黑黃雲滾翻，冰雹在眼前

當看到黑色的烏雲在天上翻滾，接着就會下冰雹。冰雹就是冰晶，體積由黃豆大小至雞蛋不等，在香港大概一兩年就會出現一次。

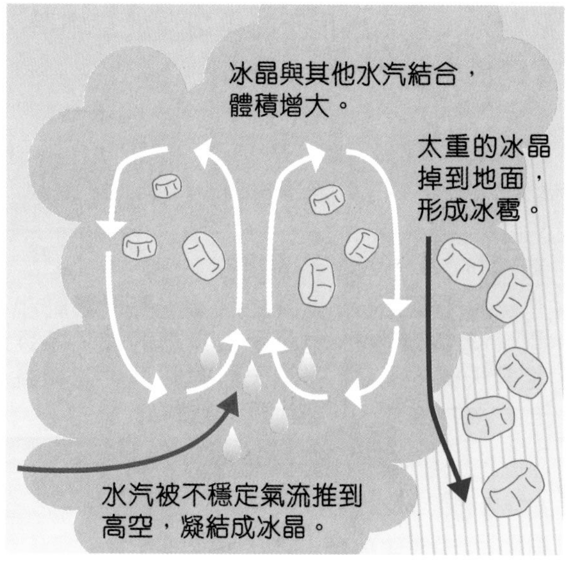

原理

當空氣中的水汽突然上升至冰點以下的高度，就會凝結成冰晶，然後在空氣中不斷與其他水汽結合，直至上升氣流變弱或冰晶太重，就會掉到地上，成為冰雹。

諺語準確嗎？

以現時科技仍未能預測冰雹形成，有強烈對流的地方較易形成冰雹，所以雲在翻滾的話，有機會有冰雹，但不是必定會有。

空中魚鱗天，不雨也風顛

如果天空中佈滿魚鱗狀的雲，天氣會轉壞，就算不下雨也會刮起大風。

暖空氣

冷空氣

原理

這種雲稱為「卷積雲」，形成於2萬呎以上的高空，表示遠處有氣旋或鋒面（暖氣團碰到冷氣團而向上爬升的交界），水汽受氣流影響而抬升到高處，形成細小的冰晶並整齊排列。

諺語準確嗎？

如卷積雲逐漸增厚，就代表氣旋或鋒面正在移近，將會刮風和下雨。

其實雲和雨的關係非常密切，看天空中的雲，也大概可估計到天氣的。

為何會下雨？

海洋和陸地上的水受到太陽照射，會蒸發成水汽，在空氣中飄浮。當它們遇上冷空氣，會凝結並聚集成雲，雲中的水滴一直積聚變大，直至太重不能再飄浮於空中時，就會掉落到地上，形成下雨。

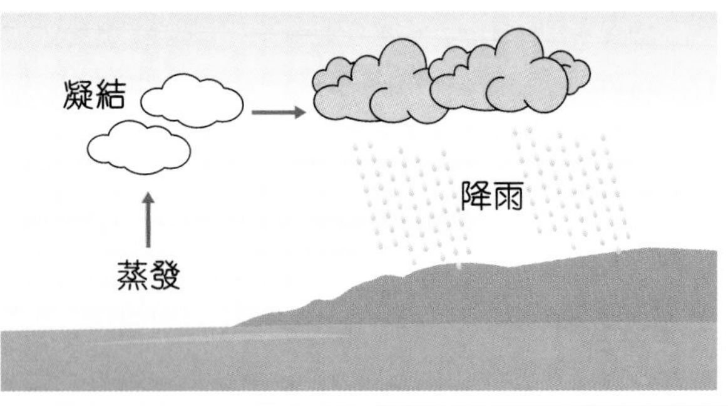

怎樣的雲會下雨？

抬頭望上天空，常會看到一片片雲飄過，不過雲可是變化多端的啊！世界氣象組織據它們的高度和形態，分為10種。

卷雲
是天空最高的雲，如雲狀穩定會天晴。

卷積雲
呈鱗片狀，比高積雲細小，通常是颱風外圍的雲，如逐漸增多時天氣會轉差，如雲量不多則代表天氣轉好。

卷層雲
平坦而面積廣的雲，有時難以察覺，代表天氣可能出現變化。

高積雲
呈鱗片狀，如能從雲間看到藍天，天氣會大致良好，如呈波浪狀佔據天空，天氣則可能轉差

高層雲
呈灰白色或淺藍色，不太厚時會令天色變得暗淡，如轉成灰黑色則是下雨前的先兆。

高雲
（2萬呎以上）

中雲
（6千至2萬呎）

低雲
（6千呎以下）

雨層雲
雲層有一定厚度，令陽光無法通過，所以底部呈黑色，會帶來持續降雨。

層積雲
是層雲和積雲的過渡，有時會帶來微雨。

層雲
常見於春季，有時會帶來持續微雨。

積雲
常見於夏季，形態較分散時，天氣一般良好，如較厚則會帶來驟雨。

積雨雲
積雲向高處發展，頂部在高處散開，會引發雷暴及猛烈陣風、大雨、冰雹，甚至龍捲風。

從雷達圖看降雨量

雷達會向不同方向發射出無線電波，當無線電波遇到空氣中的雨點，就會反射回來，訊號就愈強，表示雨點愈大，藉此計算出雨量和距離。

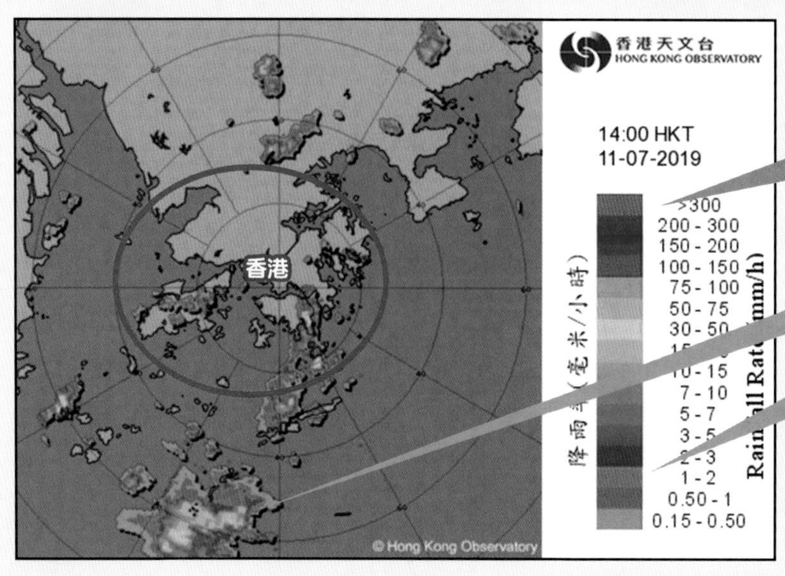

如雨量達至橙色、紅色及紫色，表示有強對流，可能有機會出現冰雹或龍捲風。

雷達圖中藍綠色部分代表該區域正在下雨，可開啟天文台網頁中的「動畫序列」或應用程式來觀察雨區移動方向。

香港天文台雷達圖
http://www.weather.gov.hk/wxinfo/radars/radarc_range1.htm

雨量監察儀器

從雷達監測可預計大概雨區，但在下雨時，仍會以儀器量度出實際雨量。

普通雨量計

以漏斗把雨水收集到收集筒中，職員會定期倒出收集筒的雨水，然後計算雨量。

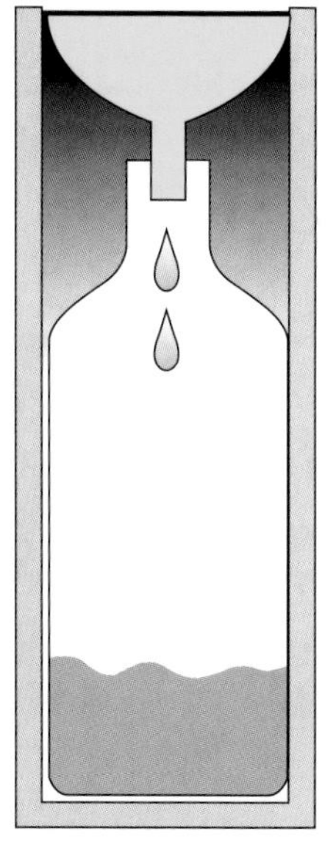

翻斗式雨量計

雨量計內有一個天秤，兩邊各有一個盛載雨水的小杯，當小杯盛滿雨水時，天秤就會傾側，倒出雨水，計算天秤傾側的次數就能知道雨量。

暴雨警告

天文台會參考全港量雨站錄得的雨量，如有一定數量量雨站的數據達標，就會發出對應的暴雨警告。不過暴雨一般不會維持數個小時，所以會發生天文台發出警告後，雨勢反而減弱的情況。

香港廣泛地區已錄得或預料會有每小時雨量超過30毫米的大雨，且雨勢可能持續。

香港廣泛地區已錄得或預料會有每小時雨量超過50毫米的大雨，且雨勢可能持續。

香港廣泛地區已錄得或預料會有每小時雨量超過70毫米的豪雨，且雨勢可能持續。

甚麼是氣壓？

氣壓的正式名稱是「大氣壓力」，是地面至大氣層頂部空氣的重量。高處因為空氣量少，所以氣壓較低，而低處因為空氣多，所以氣壓較高。氣壓並不是固定的，會隨每天的時間和溫度而變化。

空氣形成風？

風由空氣流動形成，不過在看風之前，先要知道空氣流動的原因和方向。

熱力

空氣受太陽照射而變熱，熱空氣膨脹，帶着大量蒸發的水汽上升。

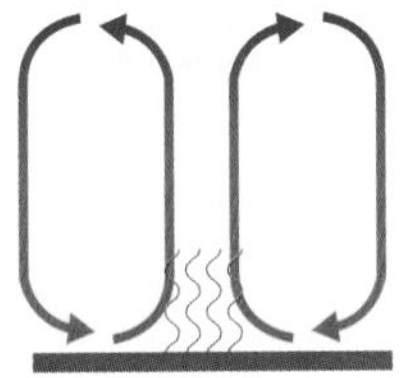

氣壓

空氣會由高氣壓向低氣壓流動，氣壓差距愈大，形成的風就愈大。

地球轉動

地球自轉會令移動的空氣產生偏移，緯度愈高的地方，偏向力愈大。這種風稱為「地轉風」。

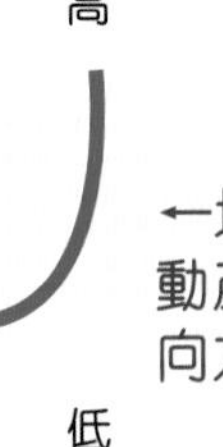

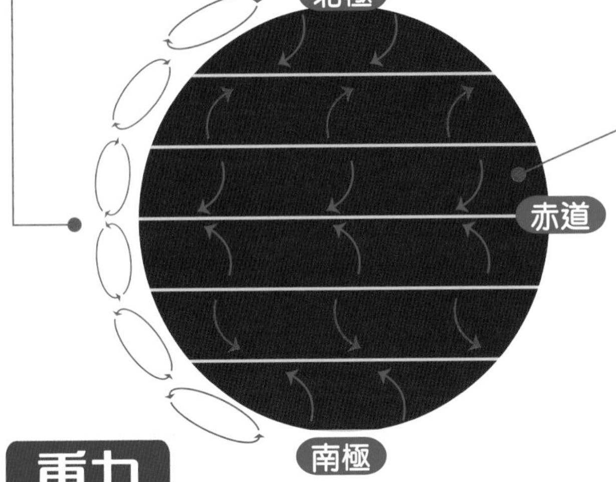

摩擦力

接近地面的風會受摩擦力影響，海面摩擦力較小，陸地摩擦力較大，形成不同風向及風速。

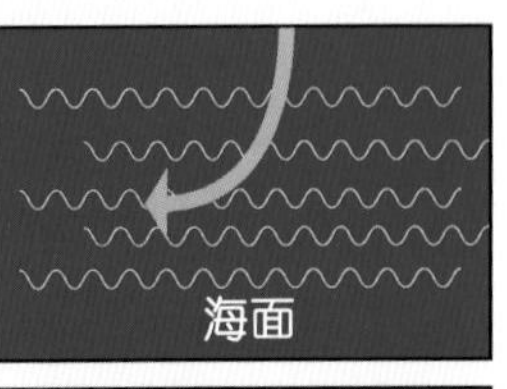

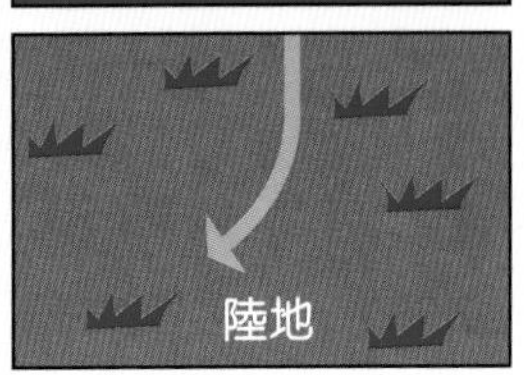

重力

空氣因地心吸力，沿山坡向低地移動，山坡愈高及陡峭，風力愈大。

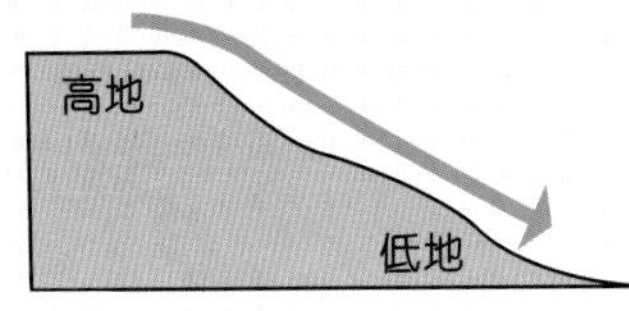

氣壓與天氣圖

從天文台的天氣圖中，可看到氣壓和風在地面上的實際情況。

槽線　由低壓區或高壓區延伸出來的狹長區域，高氣壓的槽稱為「高壓脊」，低壓區的槽稱為「低壓槽」。

暖鋒　暖鋒是槽旁邊會移動的暖氣團。

冷鋒　冷鋒是槽旁邊會移動的冷氣團。

圖中的情況是冷氣團與暖氣團向相同方向移動。

冷氣團　冷鋒　暖氣團　暖鋒　冷氣團

低壓區　**高壓區**

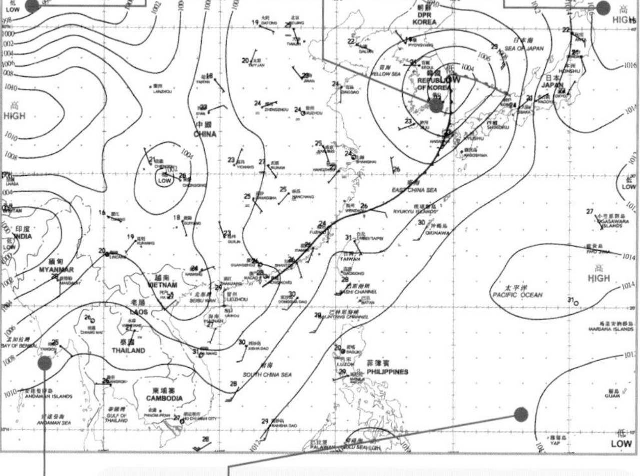

等壓線　用線連接起氣壓數值相同的地方，一般來說，線愈密代示表風力愈強，線愈疏表示風力愈弱。

風矢　標示了該地區的風向和風力大小。

風向

每秒風速	2.5米	5米	7.5米	10米	…	25米	27.5米	30米

香港天文台天氣圖
http://www.weather.gov.hk/wxinfo/currwx/wxchtc.htm

風級表

風級	描述	平均風速（公里/小時）	圖示
0	無風	<2	
1	輕微	2-6	
2		7-12	
3	和緩	13-19	
4		20-30	
5	清勁	31-40	
6	強風	41-51	
7		52-62	
8	烈風	63-75	
9		76-87	
10	暴風	88-103	
11		104-117	
12	颶風	≥118	

颱風如何形成？

大部分颱風都會在特定的環境下形成，而且過程一點也不簡單啊！

位置：主要在南北緯5°至20°之間
水溫：27℃以上　水深：5米以上
大量溫暖的海水蒸發到半空，形成低氣壓。

↑熱空氣以反時針方向流入轉動，形成熱帶低氣壓。

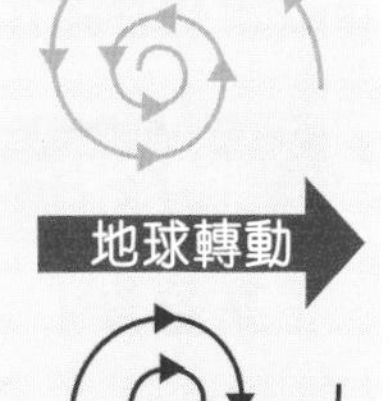

↑受地球轉動影響，南北半球形成的氣旋，旋轉方向是相反的。

熱帶低氣壓
最高持續風力每小時63公里以下

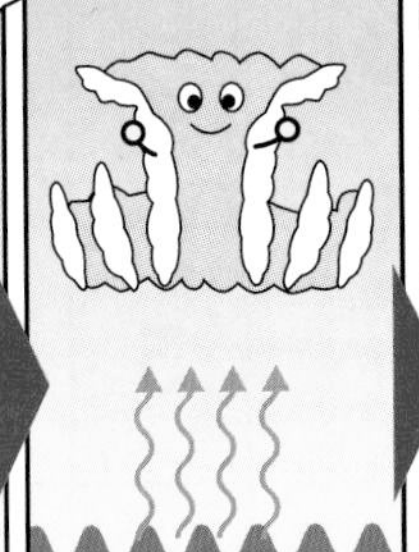

熱帶風暴
最高持續風力每小時63至87公里

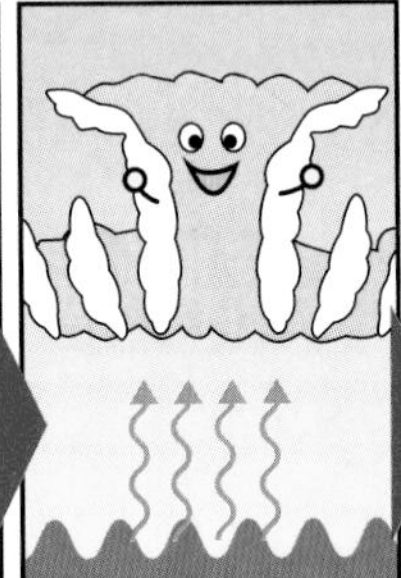

強烈熱帶風暴
最高持續風力每小時88至117公里

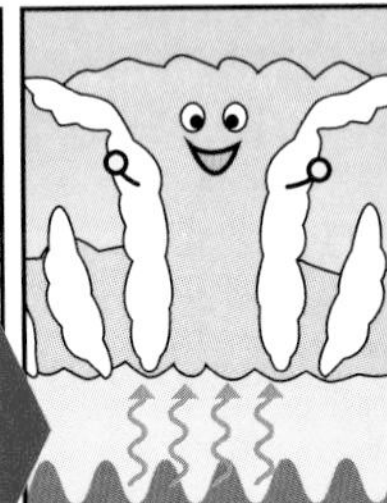

颱風
最高持續風力每小時118至149公里

強颱風
最高持續風力每小時150至184公里

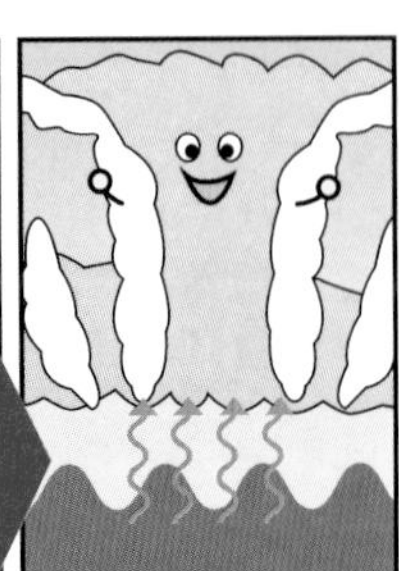

超強颱風
最高持續風力每小時185公里或以上

←颱風到達陸地，因沒有溫熱的海水補充，會逐漸減弱，最後消散。

颱風的結構

颱風一般非常廣闊，還未來到已會帶來大雨，其實它長得很矮，就像個旋轉的圓盤一樣呢。

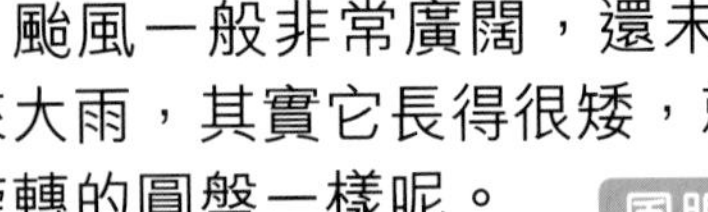

平均每年有多少颱風襲港？

根據天文台統計，過去五十年間，進入香港500公里範圍的熱帶氣旋平均有5至6個。

天文台每年都會預測該年會影響香港的熱帶氣旋數目，並在風季前發佈，讓市民能及早做好防風準備。

熱帶氣旋警告信號與颱風類別無關？

如閱讀熱帶氣旋警告的描述，就會發現發出甚麼警告，與接近香港的颱風是哪個類別沒有必然關係，反而與它為香港帶來多大的風力有關。

關於風力的描述可參照P.9的風級表。

信號	符號	意義
1	T	戒備（集結於香港800公里範圍內）
3	⊥	強風
8西北	▲	西北烈風或暴風
8西南	▼	西南烈風或暴風
8東北	(雙▲)	東北烈風或暴風
8東南	(雙▼)	東南烈風或暴風
9	⧗	烈風或暴風風力增強
10	✚	颶風

曾有5、6及7號信號？

在1930年代，5號、6號、7號及8號信號均表示烈風，只是來自不同方向，為免公眾混淆，於1973年，將四個信號統一為8號信號，再加上不同方位，一直沿用至今。

5 ⟶ 8西北
6 ⟶ 8西南
7 ⟶ 8東北
8 ⟶ 8東南

颱風名字的由來

在1947年至1978年間，於西太平洋形成的熱帶氣旋會由美國聯合颱風警報中心命名，那時候時有女性的名字，直至1979年才加入男性的名字。

命名

由2000年開始，由聯合國世界氣象組織屬下的颱風委會14個成員提供名字，當熱帶低氣壓發展成熱帶風暴時，日本氣象廳就會按名單命名。

除名

如颱風造成重大人命傷亡和經濟損失，受影響的國家或地區能建議停止使用那颱風的名字，而提名的國家則需再提供一個新名字。

香港提供的名字

鳳凰　馬鞍　珊瑚　白海豚　玲玲
榕樹　萬宜　鴛鴦　彩雲　獅子山

天氣小故事

風暴也能殺人！——《大偵探福爾摩斯㊵暴風謀殺案》

大批漁民遇上風暴葬身大海，氣象站職員因沒有及時發出預警信號，因內疚而自殺，及後一名老人在火災中死亡。福爾摩斯調查發現兩宗血案竟互為因果，而且都與暴風雨有關！

颱風的危險性

眾所周知，每次因颱風逼近而發出八號熱帶氣旋警告信號時，都會停工停課，那究竟颱風有甚麼危險呢？

風暴潮

如颱風逼近時，會將海水推高，再加上潮漲，有機會致低窪地區水浸，如海浪拍打到岸上，甚至會造成人命傷亡。

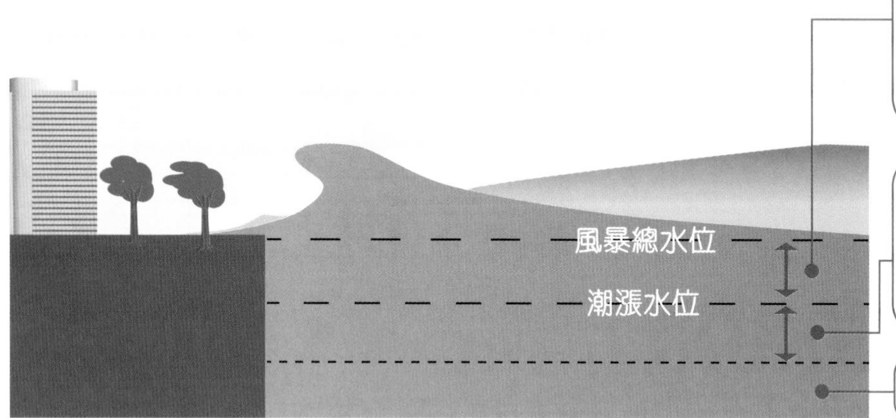

風暴潮
熱帶氣旋的低氣壓加上大風，將海水推向岸邊，導致海平面上升。

天文潮
海水受到月球及太陽的引力影響，導致海平面上升。

一般海平面位置

湧浪

熱帶氣旋引起的大浪可跨越數百公里傳到岸邊，稱為「湧浪」。所以就算只發出一號熱帶氣旋警告信號，海面也可能翻起大浪，威脅岸邊的人的安全。

塌樹／招牌墜落

別以為遠離岸邊就安全，香港到處掛滿商舖招牌，如日久失修，遇上強風就會搖搖欲墜。在路旁和公園栽種的樹木，很多都未能紮根於泥土深處，容易被吹至倒塌。走在路上亦有機會被強風吹起的雜物擊中受傷。

氣候變化對颱風有何影響

氣候變化不是一兩年間發生的事，平常難以察覺，但別以為與我們完全沒有關係啊！

全球暖化

地球的氣溫逐漸上升，令極地的冰雪融化，海平面的高度也隨之而上升。當颱風引起風暴潮時，風暴總水位就會更高，使低窪地區水浸的情況更嚴重。

厄爾尼諾與拉尼娜

- 厄爾尼諾：東太平洋的海水會較正常暖，令熱帶氣旋在較東及緯度較低位置形成，並偏北方移動。
- 拉尼娜：東太平洋的海水會較正常冷，令熱帶氣旋在較西及緯度較高位置形成，並偏西方移動。

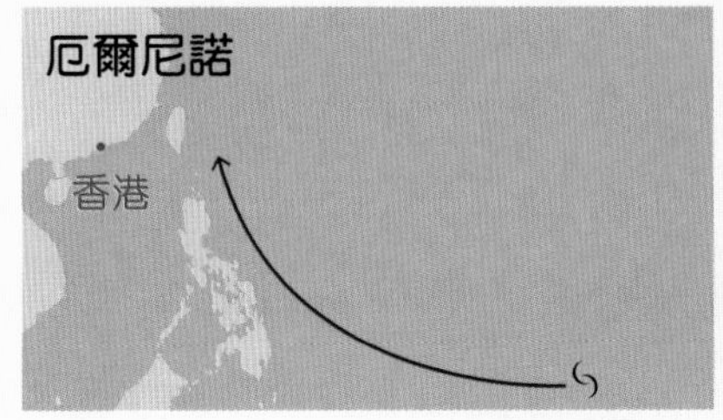

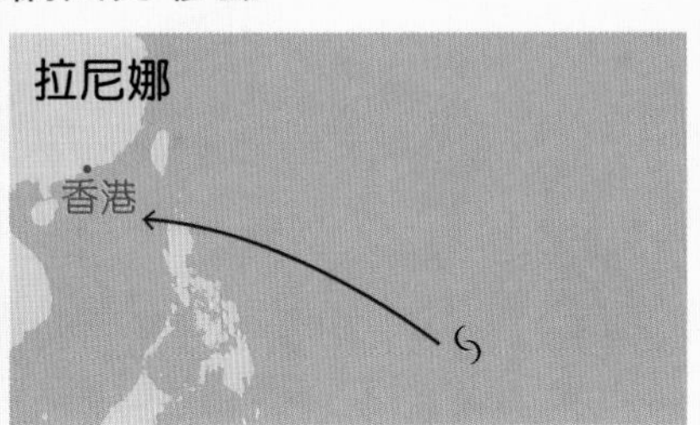

影響世界的小男孩

厄爾尼諾譯自西班牙文「El niño」，意思是小男孩，也代表聖嬰，因這現象通常出現在聖誕節前後，所以亦稱為「聖嬰現象」。

拉尼娜譯自西班牙文「La niña」，意思是小女孩，因與厄爾尼諾現象相反，所以亦稱為「反聖嬰現象」。

香港夏季的暴雨有機會導致停水停電、水浸或山泥傾瀉，如預先準備好「災難逃生包」，就能儘快離開受災的地方了。

適逢人類登陸月球50周年，來建造自己的太空站吧！

參加辦法

於問卷上填妥獎品編號、個人資料和讀者意見，並寄回來便有機會得獎。

A LEGO 60227 月面太空站

有想過在宇宙烤薄餅嗎？在這太空基地中就有可能啊！

1名

B 大富翁反斗奇兵

胡迪、巴斯光年等一眾角色回到安仔家，還是落入夾公仔機由你決定。

MONOPOLY
DISNEY · PIXAR TOY STORY

1名

C LEGO 70832 Emmet's Builder Box!

挖土機和大鉛球除了用於建築，也能抵擋怪物！

1名

D 光樂園舞台套裝+角色補充裝

想看一眾偶像登上舞台的姿態就不要錯過了！

2名

E 星光樂園Pritickle File+遊戲卡及寶石套裝

為偶像增添精美新飾品！

2名

F TREASURE X 探險套裝

一起跟着藏寶地圖出發探險，掘出寶藏！

1名

G 迪士尼系列（隨機獲得）

喜歡可愛的米奇和米妮嗎？

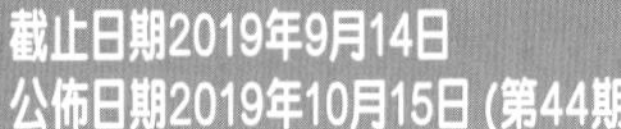

3名

H TRANSFORMERS CYBERVERSE ULTIMATE OPTIMUS PRIME

有型的變形金剛大顯神威！

1名

I 反斗奇兵胡迪跳舞公仔

輕按按鈕，就能令胡迪起舞。

1名

第40期得獎名單

Ⓐ LEGO75955 Hogwarts Express	陶則然
Ⓑ 水串珠魔法筆	周梓韜
Ⓒ TECHNO GEARS CRAZY TRAIN	鄧詩穎
Ⓓ LEGO 31086 未來飛行物	吳翰林
Ⓔ 神奇黏貼球入門驚喜套裝	Ally Koo
Ⓕ CRAYON MELTER ART SET	王志軒
Ⓖ Hasbro 變形金剛一步變形 4個	劉熙雯 張載霖
Ⓗ 多啦A夢道具大集合	郭穎樂 冼一信 凌浩昇
Ⓘ 鬼口水套裝	黃詠鈿 鍾奕曦

截止日期2019年9月14日
公佈日期2019年10月15日（第44期）

- 問卷影印本無效。
- 得獎者將另獲通知領獎事宜。
- 實際禮物款式可能與本頁所示有別。
- 本刊有權要求得獎者親臨編輯部拍攝領獎照片作刊登用途，如拒絕拍攝則作棄權論。
- 匯識教育有限公司員工及其家屬均不能參加，以示公允。
- 如有任何爭議，本刊保留最終決定權。

第38期得獎者
彭皓鈞

活潑貓 活動雨傘

巧手工坊

親子

傘子可以遮陽擋雨，無論晴天雨天都派得上用場！一把能開能收的雨傘用兩張紙就可以摺成，你想知道箇中奧妙嗎？

所需工具

p.17 紙樣

漿糊筆

膠水

竹籤

剪刀

*使用利器時，須由家長陪同。

製作難度：★★★☆☆
製作時間：約 30 分鐘

傘面部分

❶ 如圖摺成菱形

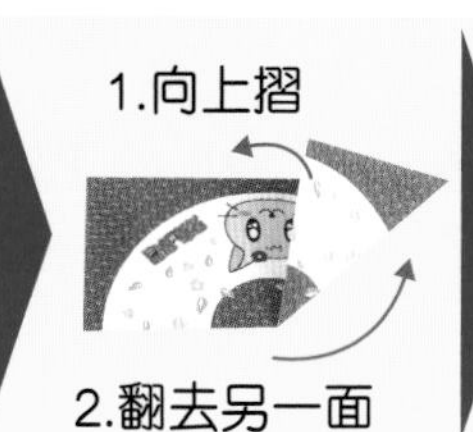

對摺

1.向上摺
2.翻去另一面

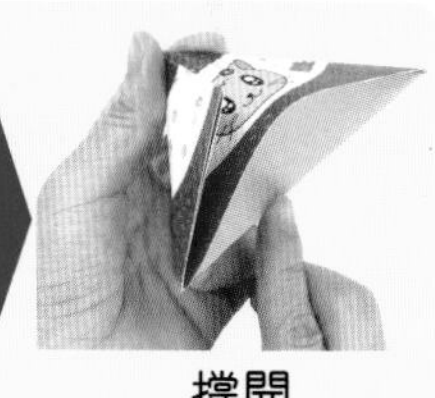

向上摺

撐開

壓實

❷ 如圖摺成鳶形。

取其中1塊

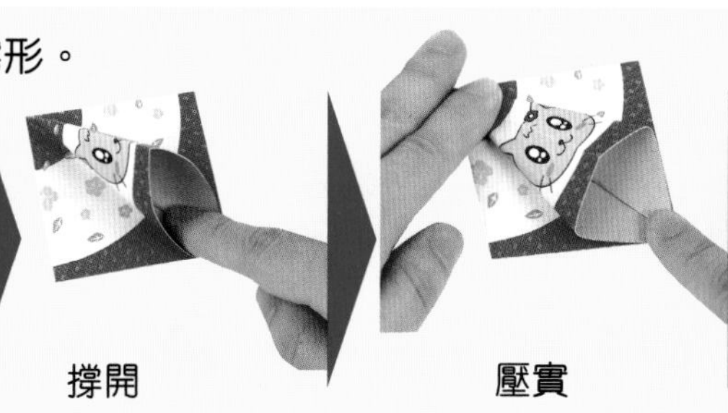

撐開

壓實

其餘3塊重複以上步驟

❸ 再如圖在鳶形裏摺一個細鳶形。

取其中1塊

撐開

壓實

翻過去

另一半同樣摺法

其餘6塊重複以上步驟

4 畫線位置剪下。

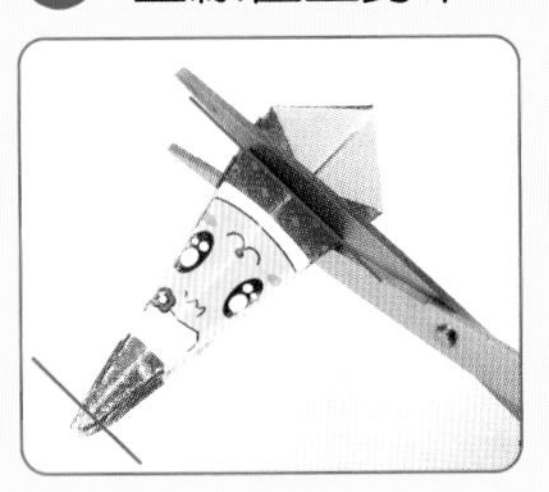

支撐部分

1 重複「傘面部分」的步驟①至③。

2 剪下畫線部分。

3 稍稍對摺一下，攤開。

4 如圖在虛線下方畫兩條線。

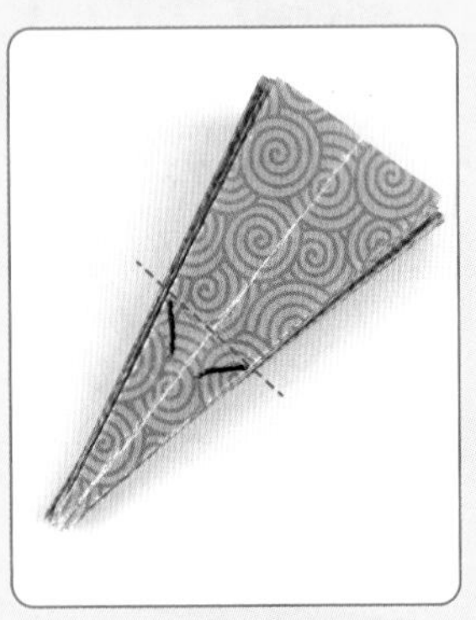

5 沿線剪後，攤開紙張。

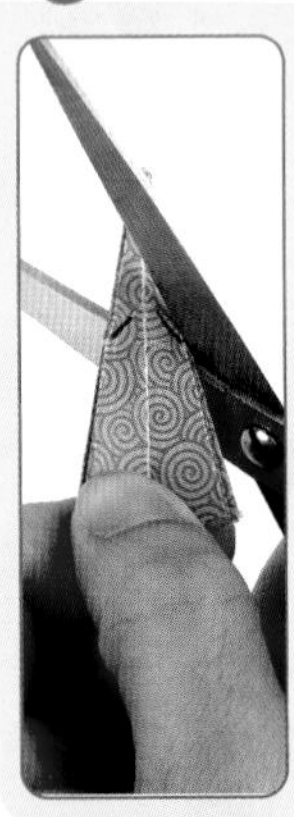

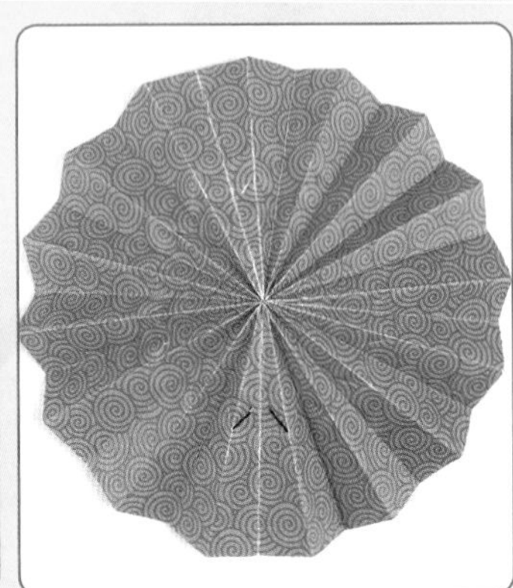

6 如圖將下半部分的凹線摺成凸線，凸線摺成凹線，逐行捏出三角嘴。

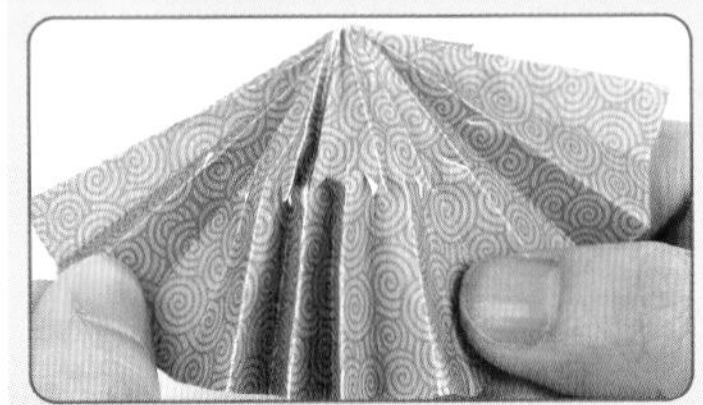

7 將外圍部分反上來，逐行捏好。

8 傘柄紙樣包竹籤黏好。

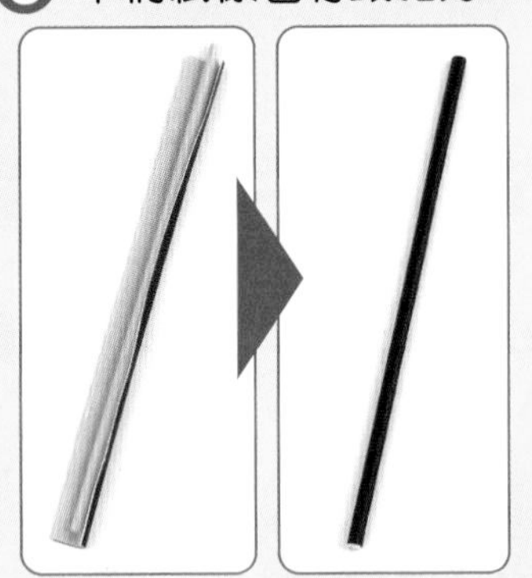

9 固定扣的下半部分沿傘柄捲好並黏妥，上半部分塗上膠水，穿過傘撐黏好。

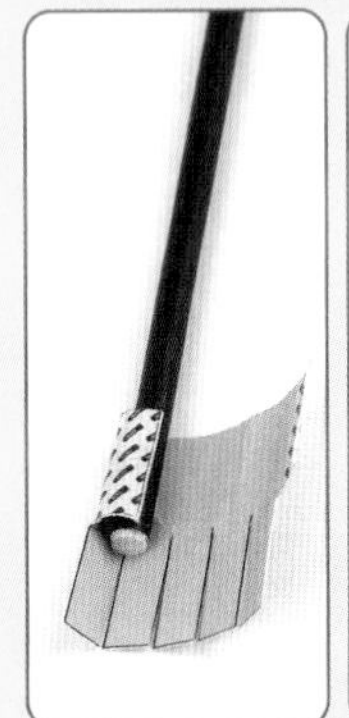

固定扣捲好

塗漿糊黏妥後，取出

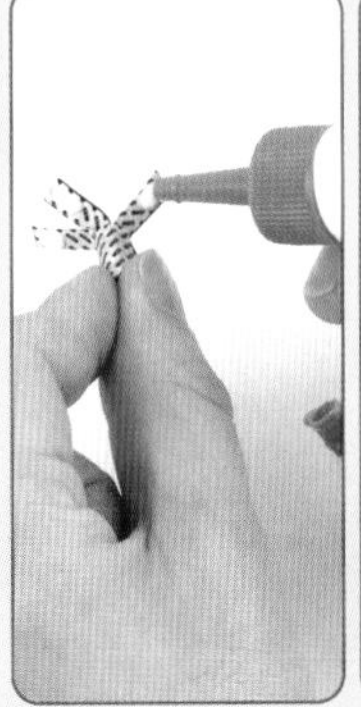

上方塗膠水

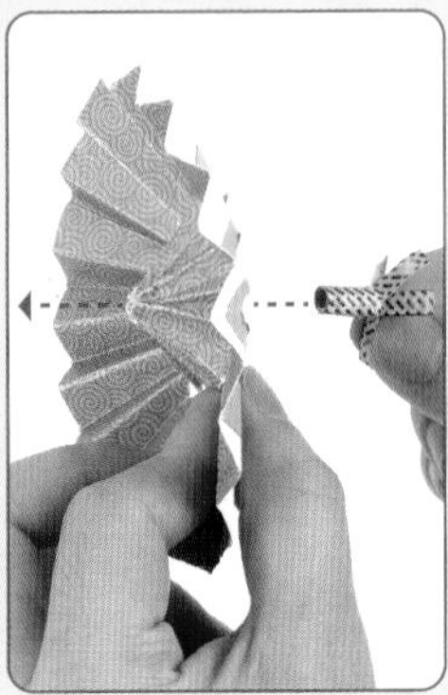

穿過傘撐黏好

合拼

1 在支撐部分塗上膠水，與傘面合拼。

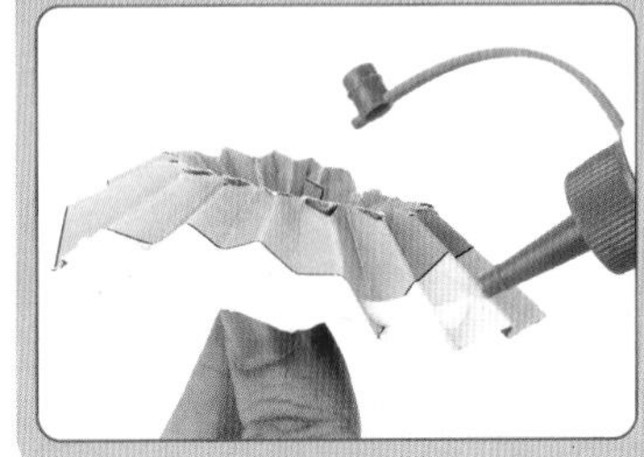

2 傘柄從固定扣穿過傘面，頂端塗膠水。

—— 沿黑線剪下

黏貼處

下一頁。

傘面

傘柄

傘帽

紙套

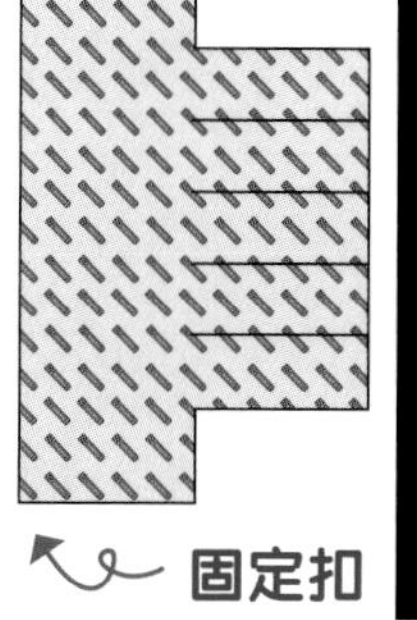

固定扣

支撐

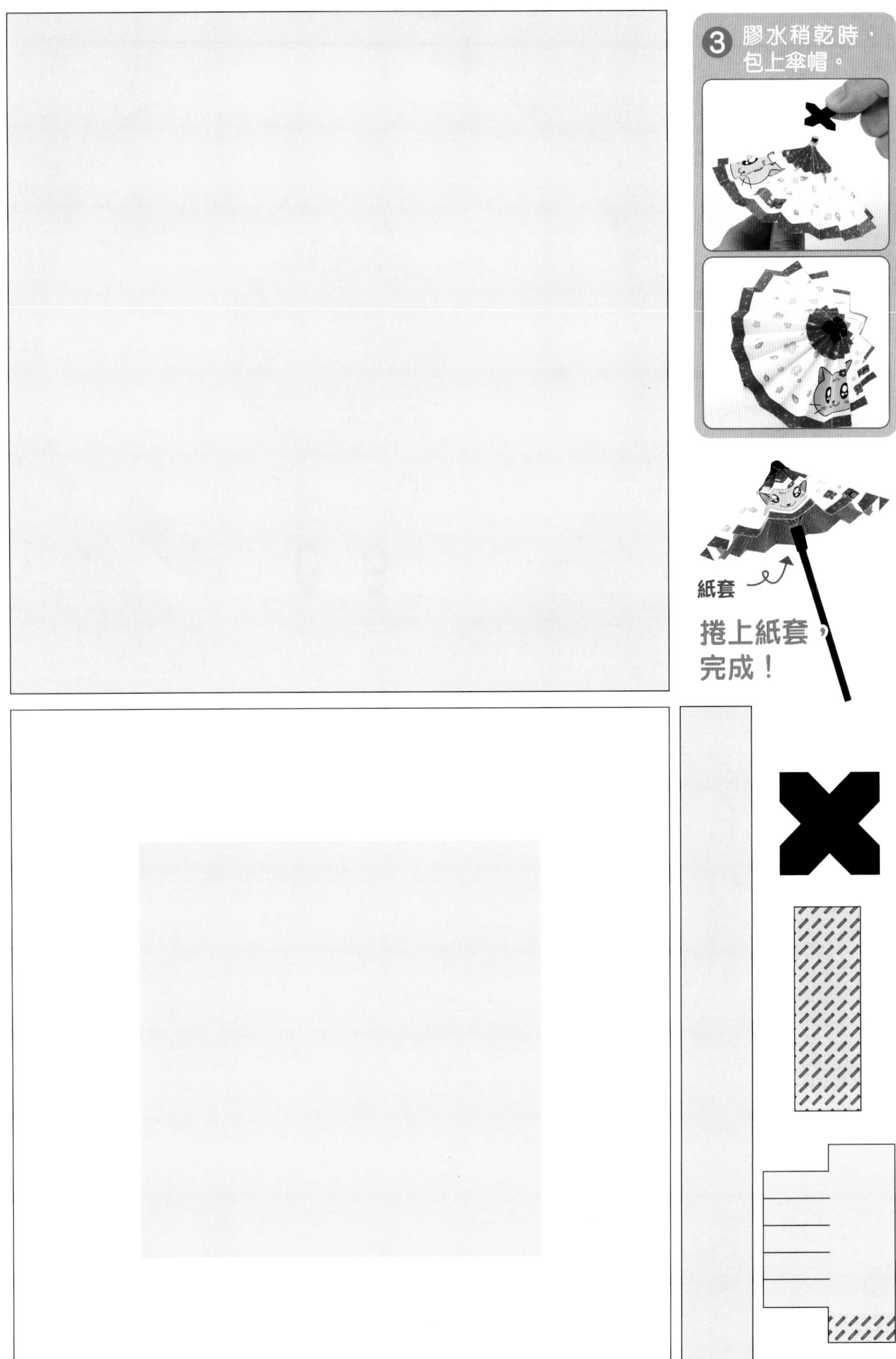
③ 膠水稍乾時，
包上傘帽。
紙套
捲上紙套，
完成！

上回提要：

「過去的聖誕節的精靈」帶着吝嗇鬼斯克魯奇回到過去，讓他看到了少年時代、青年時代和壯年時代的自己，又讓他重新感受當年的悲與喜。接着，「現在的聖誕節的精靈」帶他看到了公司職員阿鮑一家的景況，也聽到了外甥弗雷德對他的評語。然而，精靈的生命非常短暫，他消失之前，在老人的雙臂上撒下了火星，烙上了「Ignorance」（愚昧）和「Want」（貧困）兩個字，並說如果這兩個字不褪去的話，老人就會永不超生……

「啊……」老人看着自己臂上的那兩個字，正感到茫然之際，突然一陣陰風吹至，一個披着**黑斗篷**的黑影，像一團從地面滑過來的薄霧似的，已悄然向他逼近。

這個精靈和先前的兩個完全不同，他全身隱藏在黑洞洞的斗篷之內，只露出兩隻閃着寒光的眼睛，和一隻**瘦骨嶙峋**的右手。要是沒有那兩隻眼睛和那隻手，在漆黑中根本難以察覺他的存在。

當精靈飄到老人的眼前時，他才發覺這個精靈長得很高，而且全身散發着一種令人**不寒而慄**的威嚴。不過，奇怪的是，精靈只是默默地站在他面前，不哼一聲，也**紋絲不動**。

老人靜待了片刻，終於按捺不住，**戰戰兢兢**地問：「你……你是未來的聖誕節的……精靈大人吧？」

精靈沒有回答，只是用食指往前一指。

老人看了看精靈所指的方向，問：「去那邊嗎？你……你帶我去看還未發生的……未來的事情嗎？」

精靈那頂帽子的皺摺輕輕地**抽搐**了一下，看來那就是他的回答吧。

老人想朝精靈所指的方向走去，但這個不說話的精靈實在太恐怖了，他只是走了兩步，雙腿已不住地顫抖起來，連站也站不穩了。

「精靈大人……你……你可以說句話嗎？」老人**鼓起勇氣**問，「我知道你……你是為我好而來，但你比之前兩位精靈都要……可怕啊。我……我會**改過自新**，重新做個好人。你想我看甚麼，就帶我去看吧。」

精靈沒有回答，只是再用手指指了一下前方。

「求求你！快帶路吧！我知道已時間無多，不能再躭誤下去！」老人痛切地哀求。

可能老人的哀求打動了精靈吧，只見他使勁地抖動了一下黑斗篷，一個龐大的黑影突然捲起了老人，接着「**呼**」的一聲，就把老人扯到夜空之上。但轉眼間，黑影又散去，老人發覺自己已來到他熟悉的**金融區**。

就像平日那樣，街上都是穿着高貴西裝的生意人。他們有些匆匆忙忙地路過，有些則站在路邊**高談闊論**。

精靈拉着老人，**無聲無息**地飛到三個正在**侃侃而談**的紳士頭上。

「詳情我也不大清楚啊。」脖子又粗又大的胖紳士說，「總之，我聽說他**死**了。」

「甚麼時候死的？」站在他身旁的瘦紳士問。

「好像是昨夜。」

「真的嗎？」正在抽煙斗的紳士用力抽了一口後，語帶譏諷地問，「嘿，他都會死的嗎？我以為他不會死的呢。」

「**生死有命**，總之就是死了。」胖紳士說。

「那麼他的錢呢？他有好多錢啊。那些錢怎麼了？」瘦紳士問。

「怎知道，可能留給他的親戚吧。」胖紳士聳聳肩笑道，「但我知道沒有留給我，這倒是肯定的。**哈哈哈**！」

「那傢伙有親戚嗎？他從不與人交往，怎會有親戚？嘿，我估計他的喪禮一定會辦得很**節儉**，因為根本不會有人出席嘛。」抽煙斗的紳士吃吃笑地說，「怎樣？我們去捧捧場好嗎？」

「包一餐午飯的話，去去倒沒所謂。」胖紳士說，「要是沒飯吃的話，**可免則免**了。」

聽到胖紳士這麼說，兩個紳士不禁大聲地笑了出來。

「哈哈哈，我們三個之中，我可能是他最好的朋友了，起碼碰到面時會停下來咒罵那些不肯還錢的顧客。哈哈哈！」瘦紳士自嘲似的笑道，「不過，要是你們不去的話，我也不去了，免得全場只有我一個那麼**孤零零**。哇哈哈！」

說完，三人又「**哇哈哈**」地大笑一番，然後互相說了聲「再見」，就散去了。

老人雖然也認識他們，卻不知道他們在談論**誰**，但從說話的態度看來，他們那個死去的朋友，生前一定不太受歡迎。

這時，有兩個紳士正好一左一右地朝老人這邊走了過來。老人認得他們，這兩個是他最想**拍馬屁**的富商。

「你好！」兩人看到對方後打了個招呼。

「那**惡魔**終於受到上天的懲罰了。」左邊的紳士說。

「我也聽說了。」右邊的紳士說，「今天好冷呢。」

「夠冷才像**聖誕節**嘛。你去不去溜冰？」

「我嗎？哪有空啊。」

兩人互相說了聲再見，各自朝相反的方向走了。

老人覺得奇怪，精靈為甚麼帶他來聽這些**無聊的對話**呢？

「他們談論的是死人，難道……與**死鬼馬利**有關？」老人心想，但馬上又否定了，「不，這位精靈是管未來的事的，馬利已死去多年，不該歸他管。」

這時，精靈仿似回應老人心中所想似的，兩隻眼睛閃着**寒光**盯着他眨了一下。剎那間，老人感到一股**寒氣**貫穿全身，眼前那繁華的街道突然消失了。他閉上眼睛打了一個哆嗦，再張開眼時，發覺自己已來到臭氣滿溢的**貧民窟**，正好站在一家專門收買爛銅爛鐵的店鋪前。

精靈拉着他飄進了店內，只見一個戴着紅色鴨舌帽的老店主坐在櫃台後面，悠閒地抽着長長的煙管。就在這時，一個胖女人提着一個看來很重的包袱**鬼鬼祟祟**地走了進來。幾乎是同一時間，一個個子矮小的女人也提着一個差不多大小的包袱出現在胖女人的後面。胖女人聽到腳步聲往後一看，只見瘦女人後面又來了個脖子長長的男人。三人看到對方都好像嚇了一跳，但馬上又「**咭咭咭**」地笑了起來。

老店主以輕蔑的眼神看了看三人，說：「難得你們**聚首一堂**，有甚麼好東西嗎？」

「嘻嘻，**清潔婦**第一、**洗衣婆**第二、**殯儀佬**第三。」胖女人臉上浮現出卑賤的笑容說，「看來，我們的貨源都一樣呢。」

「廢話少說，有甚麼就拿出來吧。」老店主不耐煩地催促。

被喚作殯儀佬的長脖子**一馬當先**，掏出了兩個印章、一個筆盒、一對袖扣，和一個廉價的胸針。老店主仔細地檢查了一下，然後說：「最多只值6便士，就6便士吧。」

「到我了。」洗衣婆打開了包袱，拿出了一張床單、一條毛巾、幾件衣服、兩枝銀製湯匙、一個方糖夾和幾對鞋。

「你的還不錯，比他的要值錢。」老店主檢查完洗衣婆的「**貨**」後說，「但別**奢望**我會多付給你啊，夠膽講價的話就扣你半個克朗。」

「該我出場了。」胖胖的清潔婦在包袱中拿出一大卷布。

「唔？這是甚麼？看來像一幅**床簾**呢。」老店主問。

「是啊，正是一幅床簾。」胖女人說。

「你不會人還躺在床上，就把床簾拿走吧？」老店主問。

「是呀，有問題嗎？」胖女人把兩臂交叉於胸前，說得**理所當然**。

「哼！你天生就懂得賺錢，一定很快變成富婆。」老店主語帶譏諷地說。

「難道**垂手可得**的東西也不**順手牽羊**嗎？對那種**死不足惜**的傢伙我絕不會客氣啊。」胖女人無情地說。

「唔？這東西也是那人的？」老店主抽出床簾下的毛毯問。

「還有誰的？反正他已不會感冒了。」

「他不會是死於傳染病吧？」老店主說着，從包袱中掏出了一件**襯衫**細看。

「當然不是，你以為我會為了這些東西冒險嗎？」胖女人說，「噢，對了，你手上那件襯衫是**新**的，不知誰那麼好心，為他換上了。但我覺得太浪費了，就把它脫下來，給他換了件**舊**的。」

「太厲害了，連襯衫也不放過。」一直沒作聲的長脖子也不得不讚歎。

「為何要放過？反正那傢伙穿了新的襯衫也不會變得**好看**，換了舊的也不會變得**更醜**。」

斯克魯奇老人在旁聽得**心驚膽戰**，他沒想到這些人會絕情到這個地步，他們簡直就像正在買賣死人的器官！

「精靈大人，夠了，我看夠了。」老人渾身顫抖地說，「我知道你想告訴我，如果我不改變的話，死後就會像那個被他們搶掠的人那樣，死也死得不安寧。我明白了，你帶我走——」

他的話音未落，精靈已揚起了斗篷，**說時遲那時快**，斗篷的巨大黑影在他眼前**掠**過。這時，他發覺自己已站在一張床的旁邊。那是一張沒有床簾的床，床上有個長形的東西被床單蓋住。

老人想看清楚這是甚麼地方，但四周太黑了，他怎樣看也看不清楚。不過，他已猜到八九分，床單下是一具屍體。這個死者一定已被剛才那三個可恥的人偷光了所有可以變賣的東西，只能**孤零零**地躺在冷冰冰的床板上，沒有親人，沒有朋友，已成了**無主孤魂**。

老人向精靈瞥了一眼，看到精靈已伸出手指，指着被床單蓋着的頭。老人意會，他知道精靈想他掀起床單看看。

「掀起床單嗎？」老人**顫巍巍**地踏前一步，想伸手過去，他也想看看死者是誰。可是，不知為何，他伸出的手卻**不由自主**地顫動着，就算拈起了床單也無法把它掀起來。

這時，牆角響起了一陣微弱的

「吱吱」聲，老人赫然一驚，往聲音來處看去，原來有幾隻老鼠**探頭探腦**地走了過來。

「牠們……牠們來這裏幹甚麼？該……該不會連這個可憐的死人也不放過吧？」老人想到這裏，連忙向黑斗篷哀求，「精靈大人，這裏太可怕了。你帶我走吧，我絕不會忘記這個**教訓**的。相信我，帶我離開吧！」

可是，精靈仍**一動不動**地指着隆起的床單。

「精靈大人，我明白你的意思。我不是不想掀起它，只是實在沒有這個勇氣……你放過我吧……」

精靈兩隻閃着寒光的眼睛眨了眨，好像盯着他。

老人慌忙說：「這樣吧。總有人會因他的死而受到影響吧？不管是好是壞，你帶我去看看，看看他們說甚麼。」

聞言，精靈把黑斗篷像翅膀那樣張開，然後忽然又合起來。一剎那之間，黑暗消失，光明重臨。他們已站在一個窗口旁邊。

晨光照亮了屋內，一個年輕母親正**坐立不安**地等候着甚麼，她身邊的三個孩子也彷似感受到母親的焦慮似的，**一聲不響**地坐在旁邊。就在這時，一個男人推門走了進來。他滿臉憔悴，看來被生活的重擔弄得**疲憊不堪**。不過，出奇的是，他好像壓抑着一絲喜悅，顯得尷尷尬尬的。

年輕的母親急忙迎上去，問：「親愛的，怎樣了？是**壞消息**還是**好消息**？他答應寬容幾天嗎？」

「是壞消息，也是好消息。」年輕的丈夫玄妙地答道。

「甚麼意思？」

「有人死了，所以是壞消

息。」

「誰死了？」

「他死了，所以是好消息。」

「他？你指的是……？」

「對，不用求他寬容了！他已死了啊。」

「啊……」妻子終於明白丈夫那尷尷尬尬的表情的含意了，他總不能因為那人的死而顯得興高采烈吧，儘管那是值得慶祝的好消息。

「親愛的，我們終於可以放心地睡一覺了。」年輕的丈夫笑道。

孩子們雖然不知道兩人說甚麼，但也感受到父母的喜悅，走過來又笑又叫，剎那之間也變得開朗快活起來。

老人心想：「一個人的死亡，竟可令本來了無生氣的一家瞬間變得幸福滿溢，實在令人意想不到。可是，這對死者來說卻太殘酷了。」

他想到這裏，就向精靈問道：「可以帶我去看看為逝去的人傷心流淚的情景嗎？否則，我覺得這個社會實在太冷酷無情了。」

這次，精靈沒有揚起黑斗篷，只是靜靜地帶着他，穿過了幾條他似曾相識的街道，來到了一間破房子的窗外。

「啊……這……這不是阿鮑的家嗎？」老人認得，現在的聖誕節的精靈曾帶他來過這裏——他公司的職員鮑勃·克拉奇的家。

克拉奇太太和幾個小孩子坐在暖爐前面，他們都非常安靜，安靜得有點異常。克拉奇太太正在埋首縫製一件**黑色的衣服**，她縫了一會後，就把針線放下，歎了口氣說：「這顏色好刺眼……」

「媽……你累了。」大兒子彼得說，「爸爸很快就會回來了。」

「是的……往常這個時間，他總是讓**小提姆**騎在他的肩上，興沖沖地走回來。可是……一切都成為過去了。」克拉奇太太黯然地說。

「一切成為**過去**？她為何這樣說？」老人感到奇怪，心中暗忖，「還有，她在縫製的那件衣服，怎會是全**黑**的？難道……？」

老人赫然一驚，馬上轉過去向精靈問道：「發生了甚麼事？不會是——」

他還未說完，門就被推開了。阿鮑**無精打采**地走屋內。

「爸爸……」孩子們擔心地看着父親。

「是個好地方……那兒種滿了**綠油油**的草，又有樹木環繞，真是個好地方。」阿鮑兩眼眶滿了淚水，**自言自語**地說，「我要告訴他，那是個好地方，可以好好地……好好地安息……」

他說完，就拖着沉重的步伐登上了樓梯。克拉奇夫人和幾個孩子，也默默地跟在後面。

「阿鮑他……」老人心中泛起**不祥的預感**，他拉着精靈，連忙飛到二樓的窗外，往內看去。

「啊……」他看到小提姆靜靜地躺在床上，那張本來紅潤的臉已變成灰色，沒有了**生氣**。

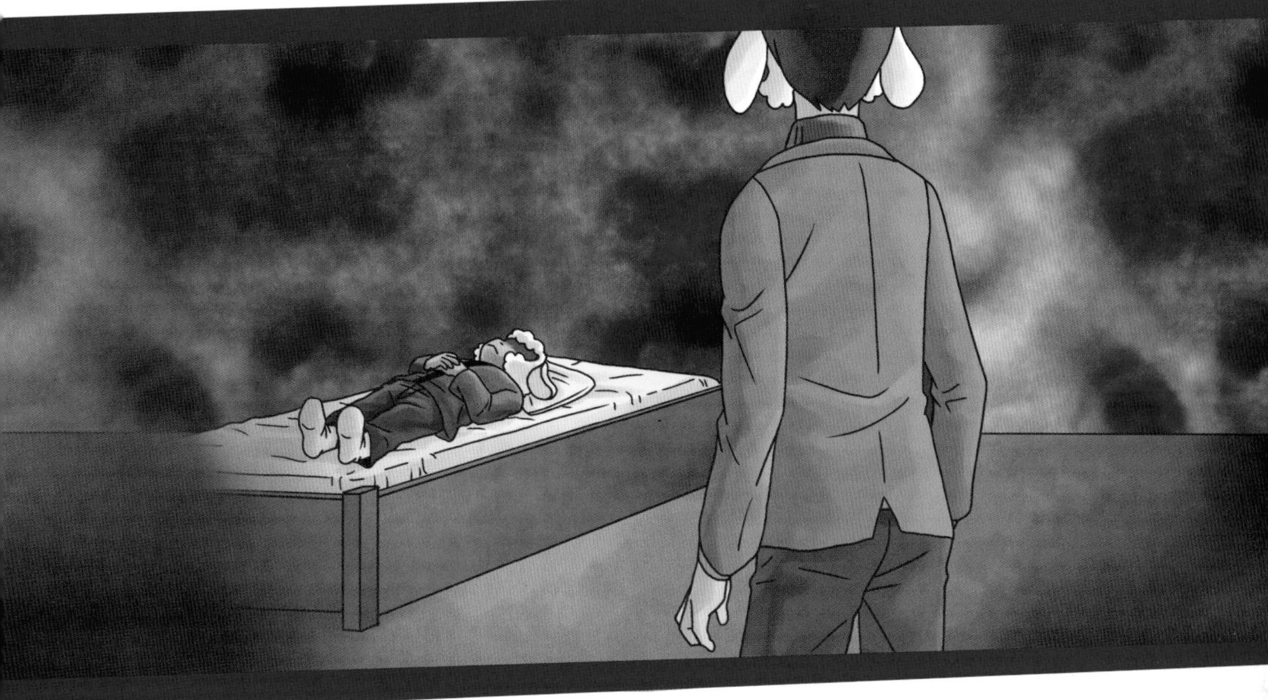

這時，阿鮑已上到來了，他走到床邊，勉強地擠出笑臉，向小兒子說：「小提姆，我去你的**墓地**看過了，那兒很漂亮，又多草，又多樹，你一定……你一定會喜歡的……」

「我們每個星期……每個星期天都會一起來看你的……」大兒子彼得也含着淚，向他的小弟弟說。

「對……我們會一起來……每個星期天都來……」阿鮑說着，彎下腰來，往小兒子的臉蛋上**吻**了一下。

「啊，對了。」阿鮑擦了擦眼淚說，「剛才在路上遇到了老闆的外甥**弗雷德**，他真是個好人，他自己也該很傷心吧，但還很關切地問候我，不但叫我**節哀順變**，還說有甚麼需要幫忙的話，就儘管開聲。」

「是嗎？他真是個好人呢。」克拉奇太太有點感動地說。

「他自己也該很傷心？」老人轉過頭去向精靈問道，「弗雷德為甚麼傷心？究竟是甚麼一回事？」

精靈沒有回答，只是眨了眨那雙恐怖的眼睛。

「**快說！**究竟發生了甚麼事？」老人已不感到害怕了，他拉着精靈的斗篷大聲問，「剛才看到的都是**未來的場景**呀！怎麼沒有我的？我在哪裏？你不是帶我去看我的未來嗎？快告訴我！我在哪？」

精靈大手一揮，掙脫了老人的拉扯，然後順勢往前一指！

「**啊！**」一陣薄霧吹過，老人發覺自己已站在一個佈滿了十字架的墓地上。

「這……這是小提姆的墓地嗎？」老人又驚恐又疑惑，「不……阿鮑說過，小提姆的墓地長滿了綠油油的草，可是……可是這裏**一片荒蕪**，不會是這裏。」

精靈指一指前面的一塊石碑。

老人低頭看去，當他看到石碑上的名字時，嚇得頹然跪下。

石碑上寫着——**埃比尼澤・斯克魯奇**，一個他熟悉得不能再熟悉的名字。

（下回預告：斯克魯奇老人看到的是幻象？還是真實的未來？為了挽救自己的性命，老人決定洗心革面改過自新。可是，未來還能夠改變嗎？老人又會如何行動？下期將會刊出感人肺腑的結局篇，不要錯過啊！）

♣♦少女神探♠♥

愛麗絲與企鵝偵探 華麗登場！

小說／南房秀久　插圖／ARUYA

第1集

愛麗絲寄居在「企鵝偵探社」，偵探P.P.Junior竟是一隻真正的企鵝？偵探把魔法戒指交給愛麗絲，令她能進入鏡子國，作為偵探助手挑戰奇案！

第2集 神奇變身！

愛麗絲的同學白兔計太委託尋找須於「1時12分38秒61前上發條的懷錶」！還有從「三隻小豬」手中，拯救偷工減料的摩天大樓！

各大書店現已有售！

每本定價：HK$60

已經出版

網上選購方便快捷　購滿$100郵費全免　詳情請登入網址www.rightman.net　正文社出版有限公司

成語小遊戲

《大偵探福爾摩斯》Side Story 故事吸引之餘，也可從中學懂成語呢！大家透過以下有趣遊戲認識更多吧！

形容人或動物過於瘦削而令骨頭凸出。

〔瘦骨嶙峋〕

這個精靈和先前的兩個完全不同，他全身隱藏在黑洞洞的斗篷之內，只露出兩隻閃着寒光的眼睛，和一隻**瘦骨嶙峋**的右手。

以下成語都包含「瘦」或「肥」字，請在空格填上合適的字。

□肥而□　挑選肥美的來吃，比喻專門敲詐富裕的人。

□瘦□肥　形容女子體態不同但各有所長。

□滿□肥　指生活過於閒適，飽食終日，以致肥頭大耳，肚腹肥胖。

□肥□瘦　草木茂盛而花朵凋零，形容暮春時節。

〔高談闊論〕

就像平日那樣，街上都是穿着高貴西裝的生意人。他們有些匆匆忙忙地路過，有些則站在路邊**高談闊論**。

精靈拉着老人，無聲無息地飛到三個正在侃侃而談的紳士頭上。

以下幾個是「高談闊論」的近義或反義成語，你懂得分辨出來嗎？請在成語旁寫下「近」或「反」字。

侃侃而談□　街談巷議□

一言不發□　議論紛紛□

噤若寒蟬□　沉默寡言□

娓娓而談□　守口如瓶□

〔死不足惜〕

「哼！你天生就懂得賺錢，一定很快就會變成富婆。」老店主語帶譏諷地說。

「難道垂手可得的東西也不順手牽羊嗎？對那種**死不足惜**的傢伙我絕不會客氣啊。」胖女人無情地說。

指那人死了也不覺得婉惜。

「死不足惜」可以變出以下四個四字成語，你懂得填上那些空格嗎？

死□復□

比喻停止的東西又重新活動起來。

指令人不忍看下去的淒慘景象。

□□足道

形容人的力量或事物的價值很小，不值一提。

惺□□惜

指有才能的人互相欣賞。

〔紋絲不動〕

當精靈飄到老人的眼前時，他才發覺這個精靈長得很高，而且全身散發着一種令人不寒而慄的威嚴。不過，奇怪的是，精靈只是默默地站在他面前，不哼一聲，也**紋絲不動**。

以下的成語都跟動作有關，你可以在空格填上合適的字嗎？

紋絲不動

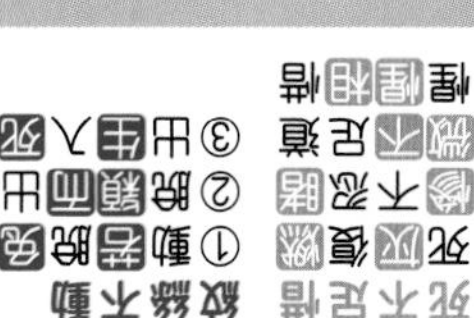

①比喻行動像兔子般敏捷。
②意指將本領全部顯露出來。
③冒生命危險，不顧安危。

答案：

瘦骨嶙峋：環肥燕瘦、燕瘦環肥、腦滿腸肥、綠肥紅瘦

高談闊論：侃侃而談、一言不發、噤若寒蟬、娓娓而談

街談巷議、議論紛紛、沉默寡言、守口如瓶

死不足惜：死灰復燃、慘不忍睹、微不足道、惺惺相惜

紋絲不動：①動若脫兔 ②脫穎而出 ③出生入死

通識

親子

想涼快，不一定要開大冷氣這麼耗電，呷一杯美味的乳酪沙冰，又消暑又健康又環保！

奇異果綠茶乳酪冰

草莓檸檬乳酪冰

朱古力香蕉乳酪冰

製作難度：
★★☆☆☆
各飲品製作時間：
約10分鐘
（不包括冷藏所需時間）

忌廉芝士乳酪冰

海鹽西瓜乳酪冰

芒果青檸乳酪冰

製作提示！

各飲品可自由選擇加冰或不加冰拌勻。

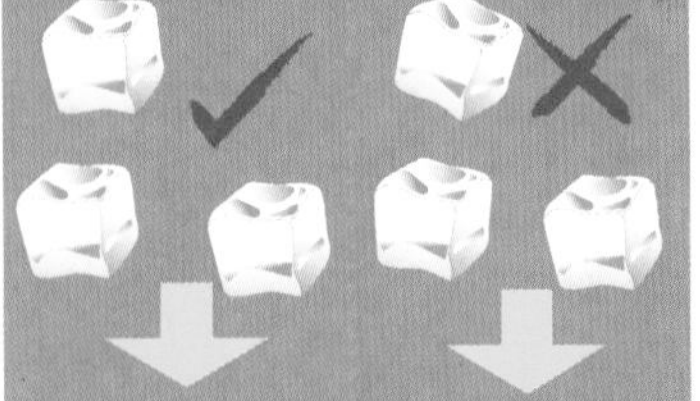

加冰的話，須用上攪拌機拌勻。

不加冰的話，須將水果粒放雪櫃冰格冷藏4小時或以上，但不用攪拌機亦可製成。

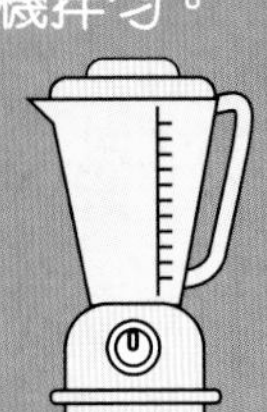

草莓檸檬乳酪冰

所需材料

1. 用擀麵棍或叉子把草莓粒壓碎。
2. 加蜜糖和乳酪，擠進少許檸檬汁拌勻。
3. 舀進杯中，加上草莓片作裝飾，完成！

朱古力香蕉乳酪冰

所需材料

蜜糖1茶匙

香蕉切片150g（已冷藏4小時或以上）

雲呢拿油1茶匙

原味乳酪25g

朱古力粉20g

香蕉切片+黑朱古力少量（裝飾用）

1 用擀麵棍或叉子把香蕉片壓成泥狀。

2 加進餘下材料拌勻（裝飾用材料除外），備用。

3 用刀輕刨出少量黑朱古力絲。

*使用利器時，須由家長陪同。

4 將步驟②倒進杯中，加上香蕉片。

▲撒上黑朱古力絲作點綴，完成！

芒果青檸乳酪冰

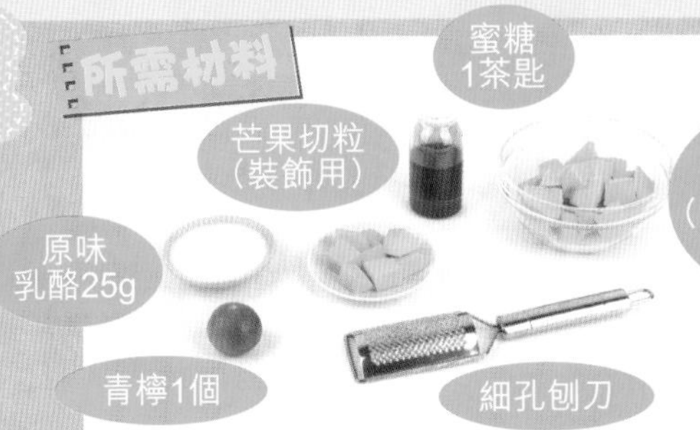

所需材料

蜜糖1茶匙

芒果切粒（裝飾用）

芒果切粒150g（已冷藏4小時或以上）

原味乳酪25g

青檸1個

細孔刨刀

1 用擀麵棍或叉子把芒果粒壓成泥狀。

2 加蜜糖和乳酪拌勻。

3 擠進少許青檸汁，拌勻。

4 舀進杯中，加上芒果粒。

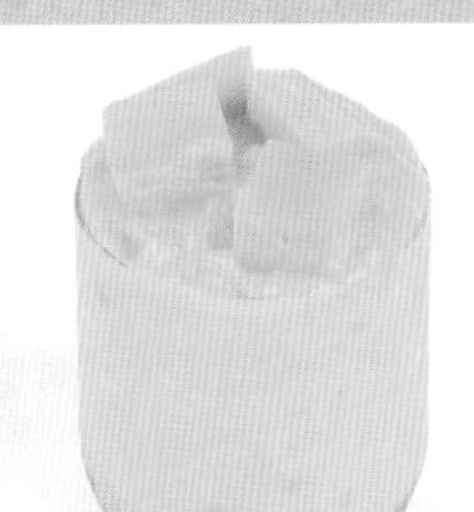

5 刨少量青檸皮作點綴，完成！

奇異果綠茶乳酪冰

所需材料

奇異果切片（裝飾用）

奇異果150g

蜜糖1茶匙

抹茶粉10g

原味乳酪25g

冰7塊

攪拌機

1 所有材料（裝飾用材料除外）放入攪拌機拌勻。

2 倒進杯中，加上奇異果切片作裝飾，完成！

忌廉芝士乳酪冰

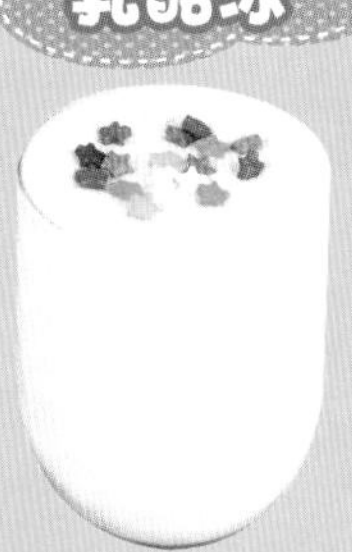

所需材料

1 所有材料（裝飾用材料除外）放入攪拌機拌勻。

2 倒進杯中，加上彩色朱古力作裝飾，完成！

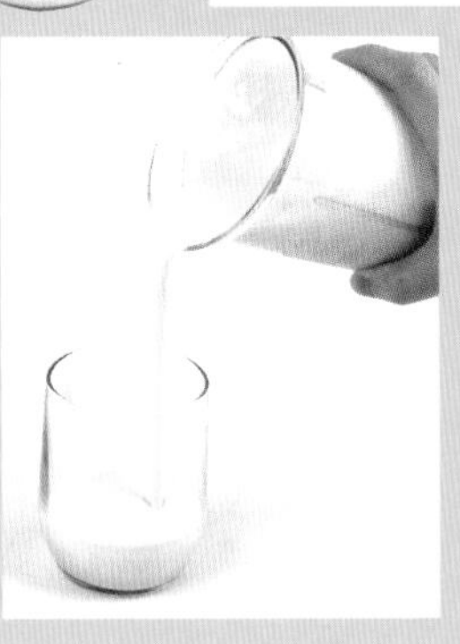

海鹽西瓜乳酪冰

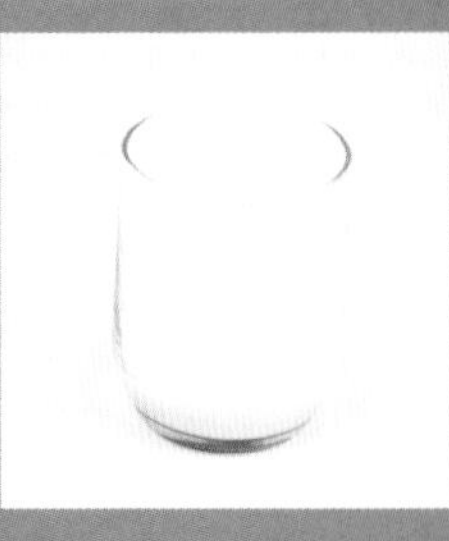

所需材料

1 乳酪倒進杯裏，放雪櫃冰格冷藏約15分鐘。

2 將壓碎的西瓜、椰汁、蜜糖拌勻，倒進杯中置雪櫃冷藏。

3 青檸皮、海鹽和白糖拌勻，備用。

4 取出步驟①，將步驟②舀進杯中。

5 放上西瓜粒，撒上步驟③，完成！

如何選擇好的乳酪？

首先，我們要看包裝上的成分「ingredients」，以成分排第一的是牛奶為佳，因為排得愈前就代表它的含量愈多，乳酪是用牛奶做的，當然含牛奶最多為真材實料。其次，如能符合「低脂、低糖、高蛋白質」這三大要求則更好。

高蛋白質

低糖（每100毫升液體食物含不超過5克糖）

低脂（每100毫升液體食物含不超過1.5克脂肪）

Nutrition information	per 100g
Energy	187kJ (44kcal)
Protein	5.1g
Carbohydrates	4.8g
- Sugars	4.8g
Total Fat	0.1g
- Saturated Fat	0.0g
- Trans Fat	0.0g
Sodium	50.0mg
Cholesterol	0.0mg

畫食物能變小兔子？

看故事學畫畫

原來只要畫一些簡單食物，就能畫出小兔子？一起提筆跟我畫吧！

1

先畫一個略扁的大饅頭。

2

在饅頭上畫兩個蠟燭上的火舌。

3

在火舌後，畫一條橫躺的意粉。

4

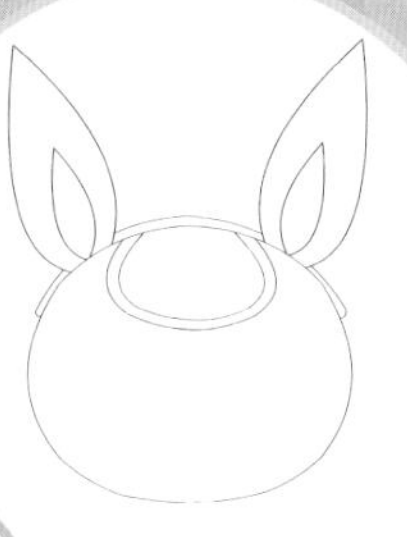

在火舌中間，畫一條U型的意粉。

5

在火舌後，貼着橫躺意粉，畫兩個雞尾包。

6

在饅頭的中央，畫兩顆大米粒。

7

在大米粒下方，畫一片半圓的西瓜。

8

在西瓜上畫一個小方形，仿似在西瓜中切走了一個正方形的小塊。

9

在米粒和西瓜中間，畫兩顆呈V字形的芝麻。

10

在兩旁畫上四根牙簽。

11

最後加上眼框，添上顏色。小兔子就完成了！

沙田 Sha Tin

東鐵綫

紅磡　旺角東　九龍塘　大圍　**沙田**　火炭　大學

曾稱「瀝源」的沙田昔日是個小鄉村，以務農為主。70年代起政府將沙田發展為新市鎮，目前是香港人口最多的行政區。雖然區內屋邨和商場林立，但仍保留不少歷史古蹟和綠化環境。

大家試玩玩這3個地圖遊戲，從而加深對沙田的認識吧！

看看以下沙田幾個景點介紹，按順序將地圖上起點（START）串連觀光路線至終點（GOAL）吧！注意要以最短路線在行人路或天橋上行走啊！

❶ 新城市廣場

連接港鐵沙田站，80年代開幕，是香港最大型購物中心之一，集合大量購物商店、食肆、戲院，是區內市民消閒好去處。

❷ 沙田公共圖書館

毗鄰新城市廣場和沙田大會堂，是香港第5大公共圖書館，樓高3層，藏書量達44萬，也設有學生自修室。

❸ 沙田交通安全公園

全港4個交通安全城之一，園內設模擬道路、交通燈、天橋、路牌等，小孩可乘單車在路上駕駛，從中學習道路安全知識。

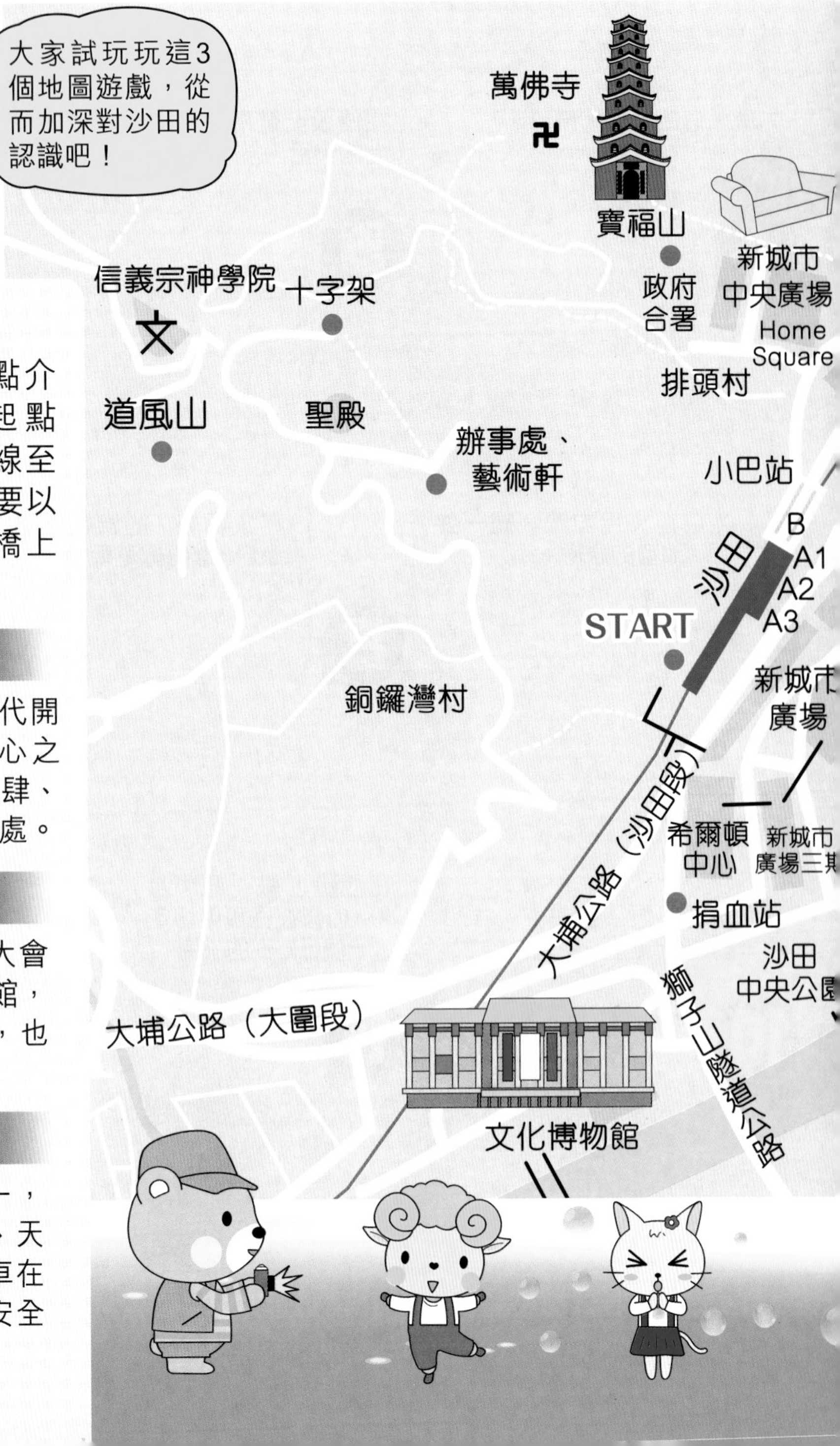

萬佛寺
寶福山
新城市中央廣場
Home Square
政府合署
排頭村
信義宗神學院
十字架
道風山
聖殿
辦事處、藝術軒
小巴站
沙田
B
A1
A2
A3
START
新城市廣場
銅鑼灣村
大埔公路（沙田段）
希爾頓中心
新城市廣場三期
捐血站
沙田中央公園
獅子山隧道公路
大埔公路（大圍段）
文化博物館

地圖找特色

沙田有很多別具特色的地方，請根據以下問題在地圖上插圖圈出正確圖案。

❶ 沙田最馳名美食是甚麼？

❷ 每年端午節城門河會舉行的賽事是？

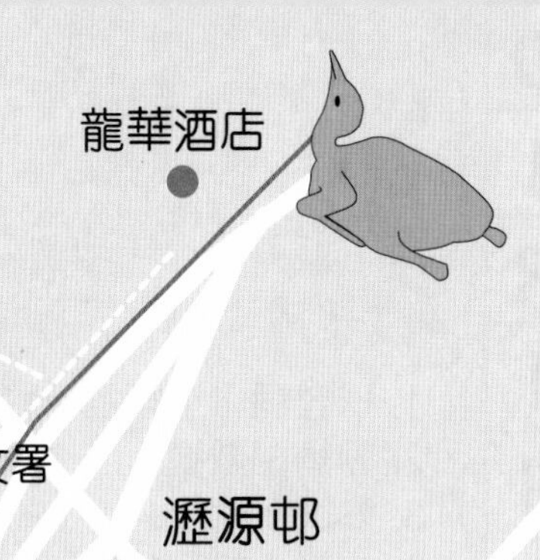

史諾比開心世界

沙田大會堂

沙田公共圖書館

城門河

沙燕橋

沙田交通安全公園

GOAL

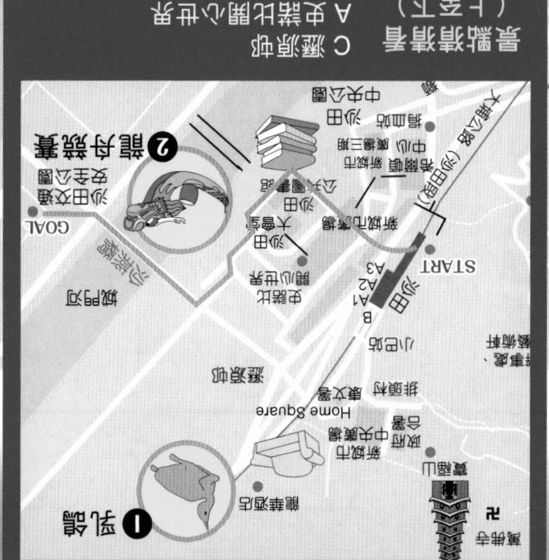

景點猜猜看

以下有關3個景點的描述，你們知道應配對哪幅相片嗎？請在相片旁圈上正確英文字母及寫上景點名稱（名稱可在地圖上找）。

A
- 亞洲首個以著名卡通人物為題的遊樂場。
- 位於商場內。
- 親子拍攝好地方。

B
- 位於山上的中國風基督教建築。
- 豎立高12米十字架。
- 二級歷史建築。

C
- 沙田區首個公共屋邨。
- 名稱源自城門河清澈的河水。
- 第一代設有熟食中心的屋邨。

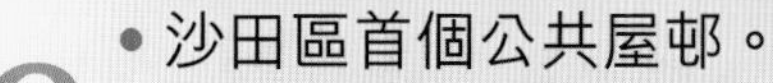

→ A B C ………………

↑ A B C ………………

↑ A B C ………………

齊來動腦玩遊戲

語文題

❶ 英文拼字遊戲

根據下列 1～5 提示，在本期英文小說《大偵探福爾摩斯》的生字表（Glossary）中尋找適當的詞語，以橫、直或斜的方式圈出來。

A	D	W	I	N	D	L	E	E	S	T	D
Q	S	U	C	K	L	I	N	P	B	E	I
R	M	T	P	S	X	N	Y	F	G	N	R
E	I	L	M	R	A	E	K	C	U	D	I
P	R	V	K	A	O	X	I	R	Q	E	J
H	K	G	U	K	G	V	Z	Q	O	R	B
K	C	J	O	W	A	S	O	Y	V	N	R
Q	B	I	H	D	W	E	J	K	F	T	M
G	E	N	E	R	O	U	S	J	E	U	P
R	S	Z	X	D	I	S	G	U	I	S	E

例 名詞，偽裝

1. 形容詞，溫柔的
2. 動詞，減退
3. 動詞，挑釁
4. 名詞，詭秘的笑
5. 形容詞，慷慨

❷ 看圖組字遊戲

試依據每題的圖片或文字組合成中文單字。

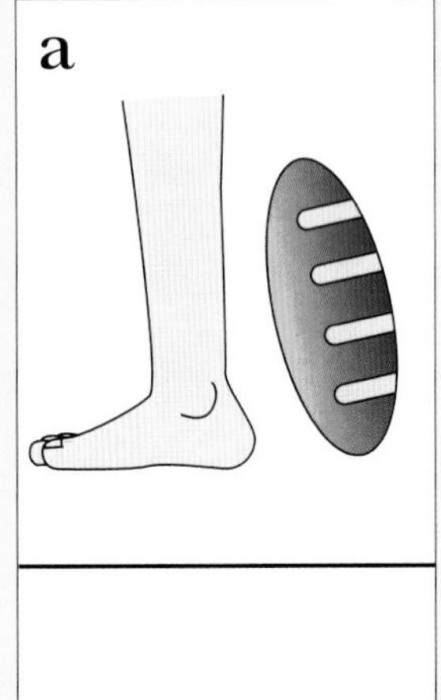

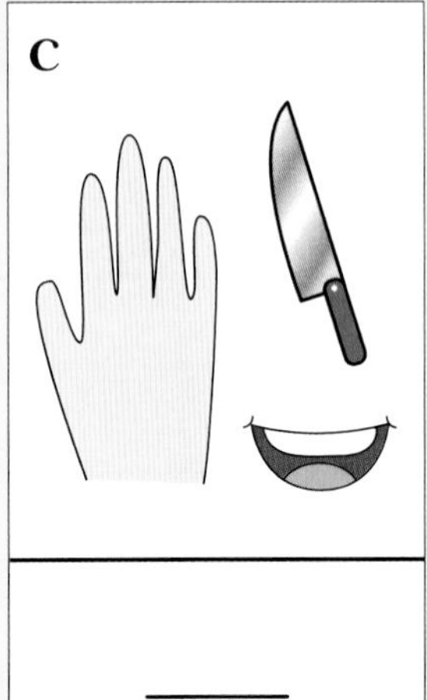

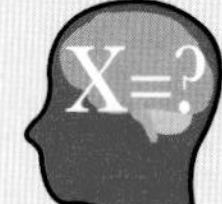

推理題 ❸ 運動場休息日

四個運動場設有休息日（星期日全部休）：籃球場星期一，羽毛球場星期二、四、六，乒乓球場星期三、四，泳池星期二。甲乙丙丁四人各喜歡一項運動。

甲：「今天我會去做運動，前天我也有去。」

乙：「昨天我沒有做運動啊，今天才做。」

丙：「從星期二到今天，我每天都有做運動。」

丁：「連今天在內，我連續運動了三天。」

從對話中，你們知道他們四人各喜歡哪項運動？還有今天是星期幾？

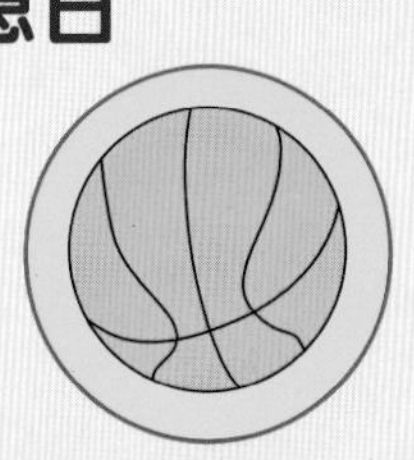

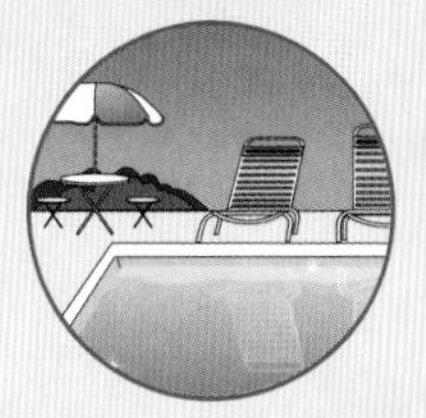
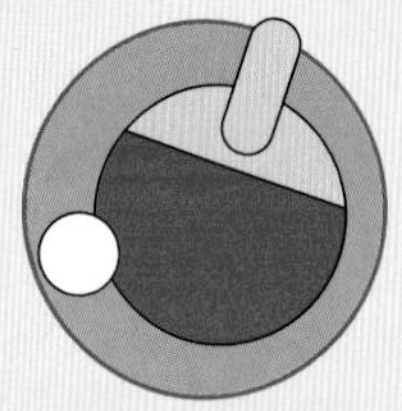

甲：______ 乙：______
丙：______ 丁：______
今天：星期______

數學題

你們可以打開它嗎？

❹ 開啟夾萬

活潑貓想取出夾萬裏的鑽石頭飾，她記得要轉動密碼鎖內圈的數字轉盤，直至每個內圈數字和外圈數字相加都相同，才能打開，但她忘了相加數字是多少，你們能代她算出來嗎？

答案

1.

A	D	W	I	N	D	L	E	E	S	T	D
Q	S	U	C	K	L	I	N	P	B	E	I
R	M	T	P	S	X	N	Y	F	G	N	R
E	I	L	M	R	A	E	K	C	U	D	I
P	R	V	K	A	O	X	I	R	Q	E	J
H	K	G	U	K	G	V	Z	Q	O	R	B
K	C	J	O	W	A	S	O	Y	V	N	R
Q	B	I	H	D	W	E	J	K	F	T	M
G	E	N	E	R	O	U	S	J	E	U	P
R	S	Z	X	D	I	S	G	U	I	S	E

2. a. 跑　b. 思　c. 招

3. 甲：羽毛球　乙：乒乓球　丙：籃球　丁：游泳
今天：星期五

先整理好每個運動場的開放日子：

	一	二	三	四	五	六	日
籃球場	X	O	O	O	O	O	X
羽毛球場	O	X	O	X	O	X	X
乒乓球場	O	O	X	X	O	O	X
泳池	O	X	O	O	O	O	X

從四人對話得知，四人今天都會做運動，列表上只有星期五是四個運動場都開放，所以今天是星期五。丙說由星期二開始每天都有做運動，所以丙是喜歡籃球。丁做了三天運動，只有游泳符合。甲今天和前天都有做運動，就只得羽毛球符合條件，而剩下的乒乓球就是屬於乙了。

4. 12

SHERLOCK HOLMES

大偵探福爾摩斯

The Most Formidable Lady Nemesis ②

Sherlock Holmes
London's most famous private detective. He is an expert in analytical observation with a wealth of knowledge. He is also skilled in both martial arts and the violin.

Author: Lai Ho

Illustrator: Yu Yuen Wong

Translator: Maria Kan

Watson
Holmes's most dependable crime-investigating partner. A former military doctor, he is kind and helpful when help is needed.

Previously : The infamous masked thief from France, Arsène Lupin, had come to London and was burglarising around the city. At the same time, a mysterious masked count turned up at 221B Baker Street wanting to hire Holmes for an investigation. Their conversation had only just begun but Holmes was able to expose the identity of the masked count as an actual ruling king...

The Mysterious Masked Man

The masked count was so **taken aback** by Holmes's words that he quickly stood up from the chair and stared down at Holmes, who was sitting lazily on the sofa. His face **flushed** red, the count wanted to shout at Holmes but he was **at a loss**. Meanwhile, Holmes closed his eyes and took a puff on his pipe, completely ignoring his honourable guest. After a tense moment of silent standstill, the masked count **gave in** and began pacing back and forth in the living room. All of a sudden, he stopped pacing and tore the mask off his face, tossing it onto the floor before announcing dramatically, "I am the king. I shall no longer hide my identity. Why should I anyway? It's pointless to try to hide my identity in front of the famous great detective."

"That's right, **Grand Duke** of Cassel-Felstein," said Holmes slowly, **enunciating** clearly every **syllable** of the visitor's real name.

Glossary take(n) aback (片語動) 嚇一跳、出乎意料　flushed (形) 發紅的　at a loss (習) 茫然、困惑　gave (give) in (動) 投降、讓步、放棄　Grand Duke (名) 大公爵　enunciating (enunciate) (動) 發音　syllable (名) 音節

The true identity of the burly masked man turned out to be the Grand Duke of Cassel-Felstein, the hereditary king of Bohemia!

Holmes is amazing indeed! All he had to do was **put on a front** *and he was able to figure out the real identity of the masked count in no time,* thought Watson. Holmes only pretended to be uninterested in the matter at hand in order to **provoke** the masked count to reveal more information. Holmes was especially **savvy** with this kind of mind games. A person in need of help would naturally try to attract the attention of the one from whom he wished to **solicit** help. A child in need of his mother's attention might cry as loudly as he could. A boy wishing to attract the attention of his dream girl might make it a point to be within her line of sight at all times. A pet craving for attention from its owner might leave its **droppings** in noticeable places. Here was a king who was used to endless **showers of** admiration and attention. But when this king was in need of Holmes's attention, Holmes responded with indifference, which ***irritated*** the king so much that it drove him to reveal his royal identity at the end.

The Alluring Singer Irene Adler

After regaining his **composure**, the King of Bohemia sat down again and lightly wiped his forehead with his hand, "I hope you will understand. I have never dealt with a private investigator before, so I really have no clue how to handle this kind of situation. But since this matter is so sensitive that it could affect the course of my future, I must see to it myself."

"Is that why **Your Majesty** have come here in **disguise**?" asked Holmes.

"Yes."

Glossary put on a front (習) 裝模作樣 provoke (動) 激起、挑釁 savvy (形) 精於 solicit (動) 請求、徵求 droppings (名) 糞便 shower(s) of (名) 大量的 irritate(d) (動) 刺激、激怒 composure (名) 鎮定、冷靜 Your Majesty (名稱) 陛下 disguise (名) 偽裝、喬裝打扮

"But Your Majesty's carriage and clothing are far too **conspicuous**. Perhaps you may want to consider a more **subdued** presentation," remarked Holmes with a hint of **sarcasm**.

"As I have said already, I'm not used to this kind of situation. But I can assure you that only a few of my trusty **attendants** know about this secret trip of mine from **Prague** to London."

"May I ask what brings Your Majesty to my humble home?"

"It's a long story. ***The short of it*** is, I met a beautiful woman named Irene Adler when I visited France five years ago, but it was only later that I realised she was but a **gold digger**."

"That name sounds familiar. Let me look it up," said Holmes as he stood up then walked to the file cabinet to pull out a thick folder and started ***thumbing through*** it. Watson recognised the folder right away. It was Holmes's index of

personalities, a **compilation** of **biographies** on interesting people of all sorts that Holmes had collected throughout the years.

"Here it is," said Holmes as he stopped at a page. "Irene Adler, born in 1868 in the state of New Jersey in America, a **renowned** **alto**… Oh wow, this is amazing! She was a **principal** singer at the Royal Opera in France but left the company half a year ago. She is now living in London."

Music had always been a keen passion of Holmes's. In fact, he was so fond of music that he even attended a violin concert in the middle of an investigation one time. Watson could instantly sense the enthusiasm in Holmes now that they knew the

Glossary conspicuous (形) 引人注意的、顯眼的　subdued (形) 低調的　sarcasm (名) 諷刺、挖苦
attendant(s) (名) 隨從　Prague (地名) 布拉格　the short of it (片) 簡單地說、長話短說、總而言之　gold digger (名) 貪錢的女人
thumb(ing) through (動+介) 迅速翻閱　personalities (personality) (名) 人物　compilation (名) 編輯、匯編
biographies (biography) (名) 傳記、個人經歷　renowned (形) 知名的　alto (名) 女低音　principal (形) 首席

king's case concerned a famous singer.

Sure enough, before the king even had a chance to say anything, Holmes was already asking eagerly, "Your Majesty, were you courting her and wrote her some love letters that you would like me to **retrieve**?"

"How amazing! You've almost guessed it right."

"Did you marry her in secret?"

"No."

"Is she holding onto some legal documents that are unfavourable to you?"

"No."

"Then I don't understand. What proof does she have that those letters are real if she were to threaten or blackmail you with them?"

"It's my handwriting."

"But that could be **imitated**."

"I used my private stationery."

"She could've stolen them."

"My seal is on them."

"That could be **forged**."

"She has my photo."

Glossary retrieve (動) 取回　imitate(d) (動) 模仿　forge(d) (動) 偽造

"She could've bought it."

"It's not a portrait of me."

"I beg your pardon?"

"It's a photo of me and her together."

"What?" exclaimed the surprised Holmes. "Your Majesty had been too careless."

"I was blinded by love at that time. I was so head over heels in love with her that I lost my sense of judgment," said the king as he covered his face with his hand regretfully.

"I'm sorry to say this, Your Majesty, but you dived into this dangerous trap yourself."

"You don't have to remind me. I was but Crown Prince back then. I was far too young. Even now I am only thirty years old."

"The photo must be retrieved then," said Holmes.

"I've tried but failed."

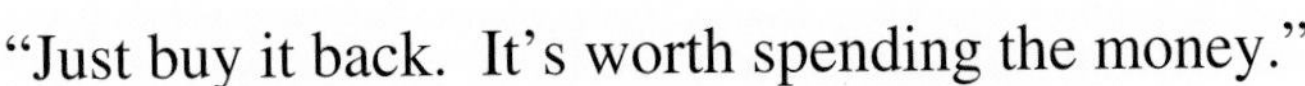

"Just buy it back. It's worth spending the money."

"I wouldn't be so distressed if she is willing to sell the photo."

"Then steal it."

Glossary head over heels in love (習) 墮入愛河

"I've tried stealing it five times already. Twice I've hired someone to break into her home but could not find it anywhere despite searching every corner of the house. Once we switched her luggage while she was travelling but couldn't find it in her bags. We've even tried **snatching** her purse on the street twice but still had no luck finding the photo," said the **dejected** king.

"Do you have any leads or clues on the photo?"

"None whatsoever."

At this point, Holmes could not help but **chortle**, "This woman is amazing! What ***a barrel of laughs***!"

"This is no laughing matter. That photo can ruin me," **grumbled** the king.

"I apologise," said Holmes, barely wiping the **grin** off his face. "If she is not after your money, what good is the photo to her?"

"She wants to destroy me."

"Destroy you? How?"

"I am getting married soon."

"So I've read in the newspapers."

"My fiancée is the second daughter of the King of **Scandinavia**. Her family is very strict and she is a sensitive, delicate soul who cannot handle any unpleasant surprises. She would definitely **call off** the wedding if she were to find out that I once **courted** a **songstress**," said the king.

"Has Miss Adler taken any action?"

"She is threatening to send the photo to my fiancée," said the troubled king. "Irene

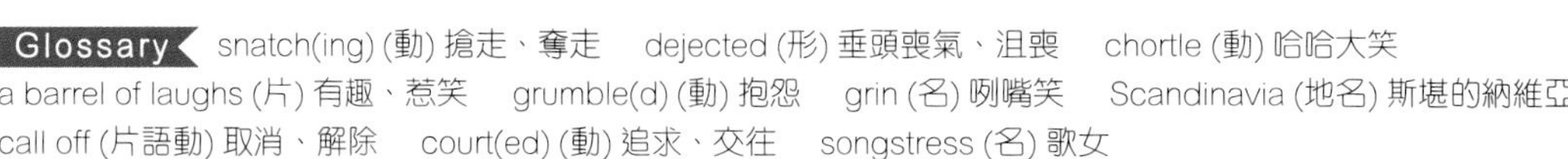

Glossary snatch(ing) (動) 搶走、奪走 dejected (形) 垂頭喪氣、沮喪 chortle (動) 哈哈大笑 a barrel of laughs (片) 有趣、惹笑 grumble(d) (動) 抱怨 grin (名) 咧嘴笑 Scandinavia (地名) 斯堪的納維亞 call off (片語動) 取消、解除 court(ed) (動) 追求、交往 songstress (名) 歌女

Adler is a woman of her word, so I know she would absolutely do it. Mr. Holmes, you must understand that though her heart may be tender, her determination is **rock solid**. She is also very **headstrong**. She will **go to great lengths** to stop me from marrying another woman. That's Irene Adler for you!"

"A very fascinating woman indeed," admired Holmes but quickly realised his **faux pas** as soon as those words slipped out of his mouth. Putting on a serious face, Holmes asked, "Has she sent the photo yet?"

"Not yet."

"How do you know?"

"She told me she plans to send it on the day the wedding is announced officially, which is next Monday."

"So we still have three days," said Holmes with great enthusiasm. "That should be enough time to track down the photo."

Looks like my old partner is completely captivated by this woman whom he has yet to meet, thought Watson.

"Your Majesty, will you be staying in London in the meantime?" asked Holmes.

"Of course. I must retrieve that photo before I leave," replied the king. "I've used the name Count Von Kramm for my booking at the Langham Hotel. You can find me there once you've come upon any information."

"Very well," said Holmes as he lightly rubbed his nose. "Your Majesty, I'm sure you are aware that my fees are rather high."

"How high exactly?" asked the king.

"Pretty high. And an advance deposit is required."

Watson let out a **smirk** in secret after hearing those words. Holmes's attitude towards money had always been very **nonchalant**, often helping the poor for free. However, if the clients happened to be rich and powerful, not only would Holmes ask for a deposit, he would not hesitate to **drain** their wallets by demanding an

Glossary tender (形) 溫柔的 rock solid (形) 如石般堅硬、堅強 headstrong (形) 固執的 go to great lengths (習) 不顧一切地 faux pas (名) 失言、失禮 smirk (名) 詭秘的笑、暗笑 nonchalant (形) 漠不關心、愛理不理 drain (動) 耗盡

additional **hefty** payment upon completing the investigation.

"Deposit?" said the king as he took out two heavy leather bags from under his coat and placed them **gingerly** on the table. "I have with me 300 pounds in gold coins and 700 pounds in banknotes . Will this be enough?" asked the king.

Watson could not help but widen his eyes because the amount offered by the king had far exceeded his expectation. Holmes, on the contrary, **squinted** his eyes. After taking a good look at the king, Holmes casually **scribbled** something in his notebook then tore the page and handed it to the king, "This amount is not enough as a deposit, actually, but I shall make it an exception, seeing that you are the King of Bohemia. Your Majesty, here is your receipt."

Watson nearly **keeled over** in surprise upon hearing Holmes's words. He could not believe that Holmes had the **audacity** to utter such a **bald-faced exaggeration** ! The amount on the table was almost the same as their total income from the past two years.

"Can you tell me where does Miss Adler live?" asked Holmes casually.

Relieved that Holmes had accepted his deposit, the king replied, "She lives in a place called Briony **Lodge** on Serpentine Avenue in St. John's Wood."

Holmes quickly jotted down the address then asked, "How big is the photo in question? Is it around six inches?"

Glossary hefty (形) 大的、可觀的　gingerly (副) 小心翼翼地、謹慎地　squint(ed) (動) 瞇着眼　scribble(d) (動) 草草地寫　keel(ed) over (片語動) 突然倒下　audacity (名) 大膽、放肆　bald-faced (形) 厚顏無恥　exaggeration (名) 誇大　lodge (名) 小居

"Yes, it is."

"Your Majesty, this is all the information I need," said Holmes as he picked up the mask on the floor and handed it back to the king. "Rest assured that you will be hearing good news from me very soon."

Although a sense of doubt still remained on his face, the king gave Holmes a polite nod before taking his leave.

Soon after the weighty footsteps reached the bottom of the staircase, the clip-clopping of hooves sounded from below as the carriage horses **trotted** away from Baker Street. Once the noises had **trailed off**, Watson turned to Holmes, "The king was so **generous** with the deposit, yet you still acted like the amount was too little. You're unbelievable!"

"Generous? To a king, this amount isn't even enough to buy a painting to hang on the wall of his toilet," said Holmes without moving a muscle on his face.

"But to you, this is a massive amount of money," argued Watson.

Instead of responding to Watson's remark, Holmes suddenly leaned close to Watson's face and asked, "Have you eaten dinner yet?"

The **baffled** Watson replied, "Not yet."

"Ahahahaha! I'm rich! I'm **filthy rich**!" exploded Holmes into a

Glossary trot(ted) (動) 馬兒慢跑 trail(ed) off (片語動) 逐漸消失 generous (形) 大方、慷慨 baffled (形) 困惑的 filthy rich (習) 發大財、極之富有

roaring laughter. "Let's celebrate with an **extravagant** feast at the most expensive French restaurant in town!" No longer needed to hold his laughter in his stomach, Holmes **unleashed** his **boisterous elation**, which was now **throbbing** in Watson's ear.

It was only then that Watson realised Holmes only pretended to be nonchalant when he was talking about the fees with the king. Holmes might have appeared to be **aloof** on the outside, but he was actually jumping in excitement on the inside, because this deposit alone was plenty enough to cover all of their regular expenses for two years.

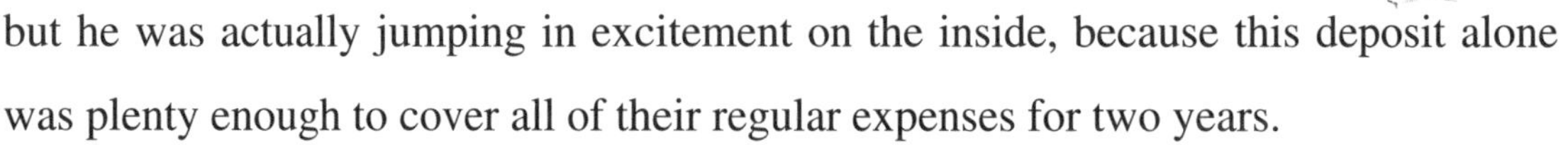

"So how do you plan to approach this case?" asked Watson when Holmes's laughter finally **dwindled** to a chuckle.

"Finding where a woman has hidden a photo shouldn't be too hard. I'll go over there tomorrow and see what I can gather on this Irene Adler first before coming up with a more specific plan." Still enjoying his profitable moment, Holmes had no idea that he was about to meet the most formidable woman that he would ever face in his life. Holmes's encounter with her would not only bring Holmes to gain new respect for women in general but also trick Holmes into a trap that was devised by his long-time **nemesis**, Dr. M!

The Extraordinary Encounter at the Church

It was already three o'clock in the afternoon on the next day when Watson returned to Baker Street from a home visit. Watson was very much **intrigued** last night when the King of Bohemia brought over his case. As fascinating as any royalty scandal might be, Watson was actually more curious about the singer named Irene Adler, secretly hoping that he could meet her in person soon.

Glossary extravagant (形) 奢侈的、昂貴的 unleash(ed) (動) 突然釋放、使爆發 boisterous (形) 喧鬧的 elation (名) 狂歡、興高采烈 throb(bing) (動) 震響、振動 aloof (形) 莫不關心的 dwindle(d) (動) 減退 nemesis (名) 剋星、死對頭、勁敵 intrigue(d) (動) 使好奇

It's past three o'clock already. How come Holmes is not home yet? thought Watson after taking out his pocket watch for a look. Before Watson left home this morning, Holmes had specifically asked Watson to meet back at the flat at this time.

When it was almost four o'clock, the front door suddenly opened and in came a bearded **drunkard** who appeared to be a carriage driver dressed in **tattered** clothes. Although Watson was pretty familiar with Holmes's disguise expertise by now, Watson still needed to take a long, good look at this man before he was certain that standing before him was his old partner.

"Sorry to have kept you waiting," smiled Holmes as he walked to his bedroom. After a few minutes, he came out of his room looking like his normal self again while letting out a cheerful laughter.

"Well? What have you found?" asked Watson anxiously.

"You would not believe the extraordinary encounter I've just had this morning," said Holmes with a **pretentious** chuckle.

"Don't leave me hanging please! I assume you went to Irene Adler's address to **canvass** her neighbourhood and watch her every move."

Next time on **Sherlock Holmes** — Holmes comes across the most unexpected encounter, and an unbelievably stunning singer named Irene Adler is coming into play!

Glossary drunkard (名) 酒鬼、醉漢 tattered (形) 破爛的 pretentious (形) 裝模作樣的、沾沾自喜的 canvass (動) 調查

大家有到戲院觀賞電影〈大偵探福爾摩斯：逃獄大追捕〉嗎？是否很緊張刺激？大家都可以在問卷寫下觀後感啊！我們會將留言轉告厲河老師的。

《兒童的學習》編輯部

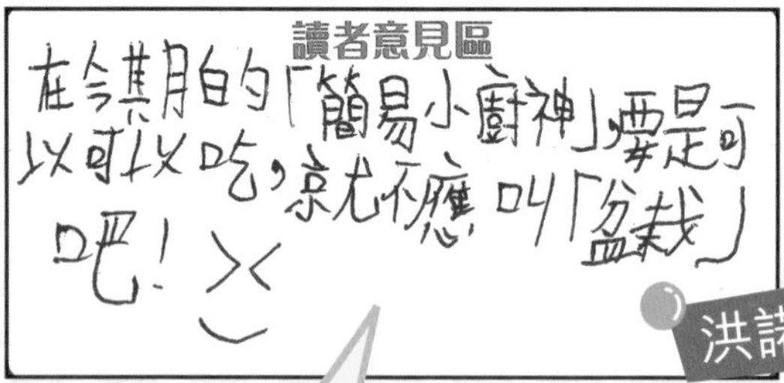

讀者意見區

在今期的「簡易小廚神」要是可以吃，就應叫「盆栽」吧！><

洪諾晴

因為甜品的賣相像盆栽才有此名，其實它的真實名稱是「巧克力夾心餅木糠布甸」。

因為篇幅所限，「鐵路樂悠悠」暫停了兩期，今期會以新面目「玩樂地圖」重新登場，大家喜歡嗎？

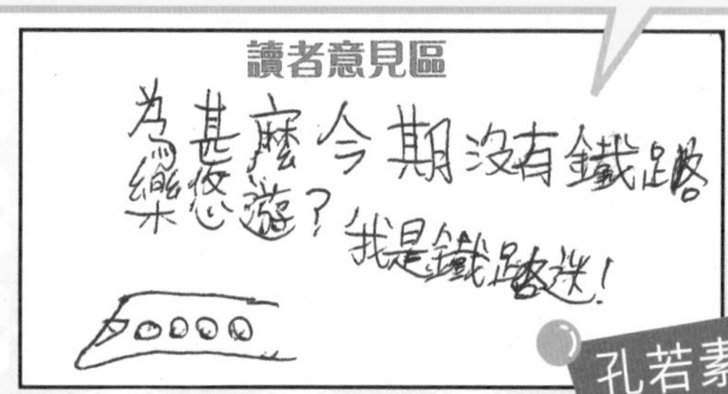

讀者意見區

為甚麼今期沒有鐵路樂悠悠？我是鐵路迷！

孔若素

插圖畫廊

讀者意見區

今期的森巴故事真有趣！

胡梓樂

讀者意見區

(希望刊登)

古芯翹

讀者意見區

加油!! 圖畫要漂亮點！

鄭彥晴

讀者意見區

今期的SAMBA FAMILY很搞笑

林靖皓

讀者意見區

今期的森巴很好看啊！

森巴

高浚瀧

教授蛋答問區

Q1 橡皮擦為何能擦掉鉛筆的筆跡？

鉛筆的主要成分是石墨，當寫在紙上，石墨會黏附在紙張纖維表面，而橡皮擦主要以橡膠製造，與紙張磨擦時，能將石墨吸附起來並帶走。但若是原子筆，油墨會滲入纖維內層，一般橡皮擦不能擦掉，須用加入堅硬細粉末的橡皮擦或塗改液才可。

提問者：張洛甄

Q2 眼藥水用甚麼成分來做？

眼藥水主要分為兩類，一種是作滋潤之用、不含藥性的人工淚液，市面能買到的多含防腐劑，或會令部分使用者雙眼敏感，最好使用醫生處方、不含防腐劑的。另一種為治療眼疾、含藥性眼藥水，多含抗生素或類固醇。

提問者：林佑誠

如果大家有任何疑問，也可寫在問卷上寄回來，讓教授蛋解答。

Samba's TV Station

SAMBA
TVB

ARTIST: KEUNG CHI KIT CONCEPT: RIGHTMAN CREATIVE TEAM

女士們、先生們，歡迎收看森巴
電視台三周年台慶!!

我是你們的節目
主持人~~~

龍小剛!!

節目一開始，

讓我先介紹今晚的特別嘉賓!!

Why have you guys dressed up like that?

Because today is the anni-versary special, so we should be classy!

你們幾個怎麼
打扮成這樣？

今晚是台慶，當然
要穿得隆重些！

我不是說你們的衣着，　我是問你們怎麼都戴太陽眼鏡？　啊！　因為大會專為台慶準備了一座會發光的紀念像，　亮燈儀式後，紀念像會很刺眼。所以我們要戴太陽眼鏡去保護眼睛！

來，這座就是三周年紀念像!!　哇！很巨型呀~~~　森巴電視　對呀，不過工作人員在作最後檢查，　相信很快就可以揭幕！

好！我也來戴上太陽眼鏡！　呵~~~　女士們、先生們，請勿走開，　先來欣賞我們其它節目吧！

卡通：

大清早，
吃一頓豐富又美味的早餐是最高享受!!

啊~~~
高 高

怎麼一大清早在跳舞呀？森巴！
哈 哈 哈

吞

好味

嘿!!還我早餐呀!!

噢，剛仔！你真精力充沛！
大清早就在做掌上壓？

呵~~~

砰~~

加油，剛!!　你做得到的！

嗚~~~你要帶眼走路！
幾乎撞死我了！

我肯定你是故意撞倒我！
看！你居然還開心地跳舞！

我要跟你決鬥!!

哇~~~

啊？　看招!!　我 又 玩

由於他們都沒有耳朵，聽不到聲音，
導致像這樣的衝突每日發生……

瞬間看地球

中國—香港

日本—東京

澳洲—墨爾本

德國—柏林

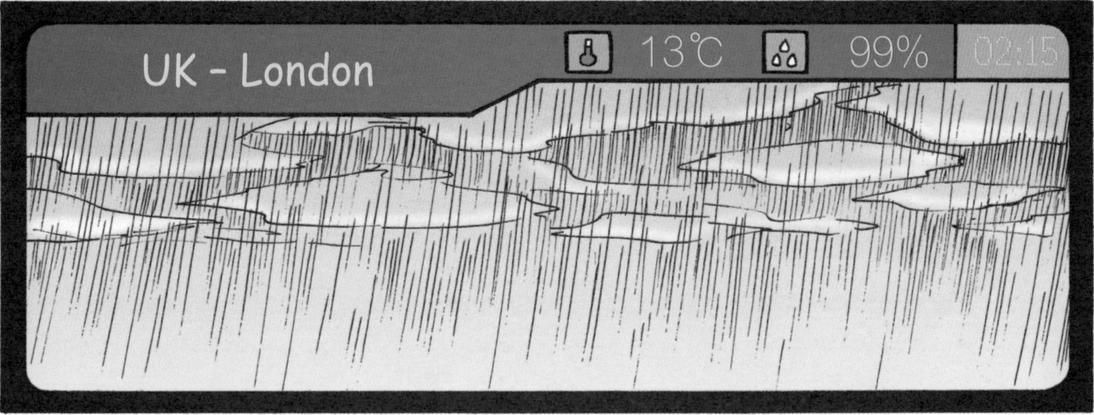

英國—倫敦

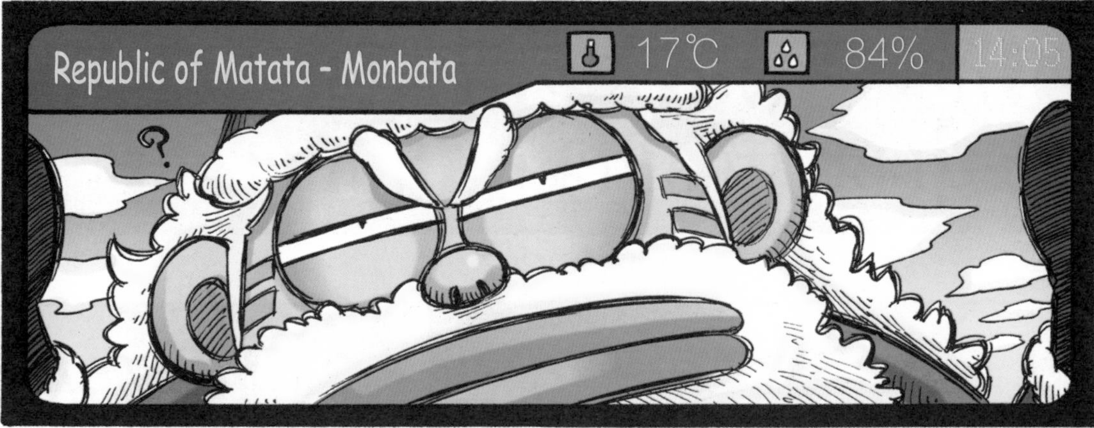

馬他他共和國—蒙巴他

完全看不出它們是
在不同國家……

它們是不同國家的
天空呀……

聖 誕 老 人

In the year 2073...

2073年……

The "enemy" awakens from deep inside of universe

從宇宙深處醒來的「敵人」

轟—

轟!!

人類史上最大的危機!!

呼~~~

唯一的希望!!

嗖~~~

蓬~~

蓬~~

This Summer

今個夏天

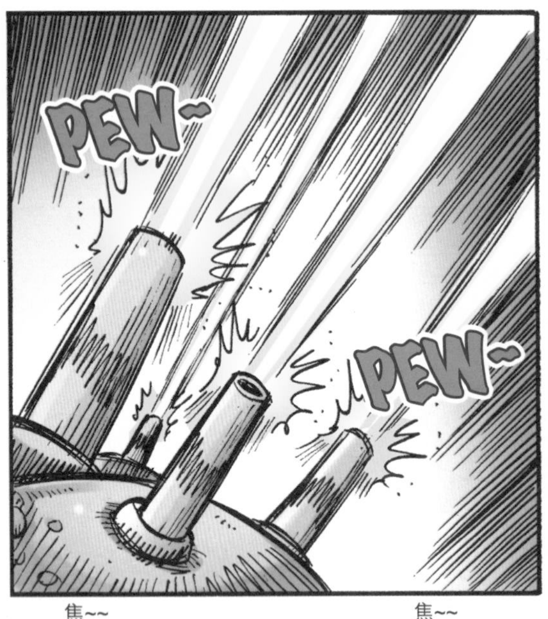

焦~~ 焦~~

砰~~ 砰~~

The battle for Earth's fate

地球生死存亡之戰

轟~~ 轟~~

開始!!

人類不會輕易放棄!!

主演：木村森巴 發 射 龍小剛

特別演出：虎丸 吼~~~ 吼~~~

六月全球公映!!

Worldwide release in June !!

(This movie is suitable for general viewing)

Space Battleship~ The Grandma 嗖~~ 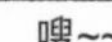 (本片適合任何人士觀看)

外語節目　喵喵喵　汪汪汪

It is our pleasure today to invite the puppy Bobby to our show to teach us all some basics of dog language !

今日很榮幸請到小狗Bobby上來本節目，教我們一些基本的狗語言！　喵喵喵　大家好~~~

狗話的「早晨」怎樣説？　喵喵　汪汪~~

哦~~那麼「我要吃」呢？　喵喵……喵　汪汪~~汪汪汪~~~

哈哈！那麼「我很急，需要去廁所」呢？　喵喵喵……喵喵　汪汪，汪汪汪~~~

如果要說「森巴電視好看，比漫畫好看100倍」？　喵喵喵喵喵喵　汪汪汪汪汪汪汪汪汪~~~

很好，今集到此結束，感謝收看，下集再見！　喵喵　汪~~~

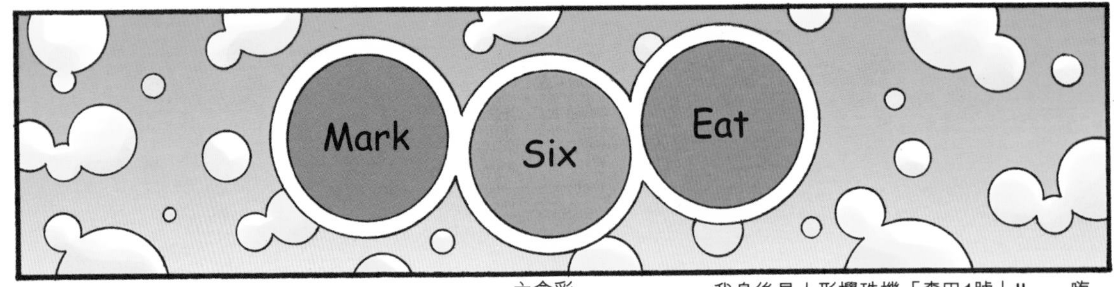

六食彩　　我身後是人形攪珠機「森巴1號」!!　　嗨

Thank you for watching "Mark Six Eat" Episode 283!!

Show host: Monkey

Without further ado, let's spin the lotto candies!!

Behind me is the human spinning Machine "Samba 1" !!

Hi

歡迎收看第283期的「六食彩」!!　　節目主持：馬騮　　事不宜遲，馬上攪珠!!　　每粒糖的味道都不同。　　糖果的味道由電腦隨機分配，以示公平。

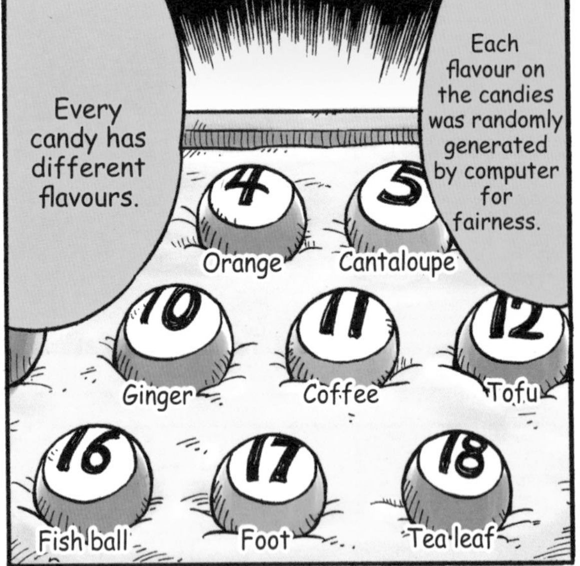

哇　　這順序排了1至42號糖果珠。

橙味　哈密瓜味
薑味　咖啡味　豆腐味
魚蛋味　腳味　茶葉味

事不宜遲，第283期「六食彩」攪珠正式開始!!　　哈—　　首先，將所有號碼糖倒入森巴1號的口中!!

攪珠中……

「森巴1號」將憑他的味覺，
吐出他不喜歡吃的口味。

嚼嚼~~ 嚼嚼~~

呀！他似乎有反應了！

第一個吐出來的是~23!!

看來森巴1號覺得
這味道很可怕！

芋頭味

接是~~
8號!!

第三個是
16號!!

第四個
是……

接下來
是……

嘎~~~

已選出所有號碼，

頭二三獎的結果將於稍後公布，
多謝各位收看，再見！

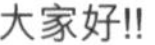

大家好!!

歡迎回到我們的亮燈儀式!!

紀念像已經準備好，有請森巴來為大家揭幕!!

來由3開始倒數!!

揭幕!! 哈 伏~~

伏~~ 哇~~~ 好光呀~~~

怎麼周年紀念像變了個燈泡!?

現在，有請電視台台長
為我們完全揭幕！

好緊張呀，會是甚麼樣的呢？

砰~~

SHINING——

錚~~

哇，好神奇呀 !!　　哇 ~~　　它發出來的光比太陽更耀眼 !!　　好漂亮 ~~　　簡直是神作 !!

哇 ~~ 為何屏幕突然變得那麼亮 !? 我看不到東西呀！　　難道我們的電視壞了嗎 !?

兒童的學習 NO.42

請貼上
$2.0郵票

香港柴灣祥利街9號
祥利工業大廈2樓A室
兒童的學習編輯部收

2019-08-15 ▼請沿虛線向內摺。

請在空格內「✔」出你的選擇。

問卷

有關今期內容

Q1：你喜歡今期主題「如何應付幻變天氣」嗎？

01☐非常喜歡 02☐喜歡 03☐一般 04☐不喜歡 05☐非常不喜歡

Q2：你喜歡小說《大偵探福爾摩斯——Side Story》嗎？

06☐非常喜歡 07☐喜歡 08☐一般 09☐不喜歡 10☐非常不喜歡

Q3：你覺得SHERLOCK HOLMES的內容艱深嗎？

11☐很艱深 12☐頗深 13☐一般 14☐簡單 15☐非常簡單

Q4：你有跟着下列專欄做作品或遊覽嗎？

16☐巧手工坊 17☐簡易小廚神 18☐玩樂地圖 19☐沒有製作或遊覽

請沿實線剪下

讀者意見區

快樂大獎賞：
我選擇 (A-I)

只要填妥問卷寄回來，就可以參加抽獎了！

感謝您寶貴的意見。

請沿實線剪下

請在此部分塗上膠水。

請在此部分塗上膠水。

讀者資料

姓名：	男 女	年齡：	班級：
就讀學校：			
聯絡地址：			
電郵：		聯絡電話：	

你是否同意，本公司將你上述個人資料，只限用作傳送《兒童的學習》及本公司其他書刊資料給你？（請刪去不適用者）

同意/不同意　簽署：＿＿＿＿＿＿＿＿＿＿　日期：＿＿＿＿年＿＿＿月＿＿＿日

讀者意見收集站

A 學習專輯：如何應付幻變天氣
B 快樂大獎賞
C 巧手工坊：活潑貓活動雨傘
D 大偵探福爾摩斯——Side Story ④聖誕奇譚
E 成語小遊戲
F 簡易小廚神：繽紛水果乳酪冰系列
G 看故事，學畫畫：畫食物能變小兔子？
H 玩樂地圖：沙田
I 知識小遊戲
J SHERLOCK HOLMES：The Most Formidable Lady Nemesis②
K 讀者信箱
L SAMBA FAMILY：Samba's TV Station

＊請以英文代號回答**Q5**至**Q7**

Q5. 你最喜愛的專欄：

第 1 位 20＿＿＿＿＿　第 2 位 21＿＿＿＿＿　第 3 位 22＿＿＿＿＿

Q6. 你最不感興趣的專欄： 23＿＿＿＿＿ 原因：24＿＿＿＿＿＿＿＿＿＿

Q7. 你最看不明白的專欄： 25＿＿＿＿＿ 不明白之處：26＿＿＿＿＿＿＿＿＿＿

Q8. 你覺得今期的內容豐富嗎？

27☐很豐富　28☐豐富　29☐一般　30☐不豐富

Q9. 你從何處獲得今期《兒童的學習》？

31☐訂閱　32☐書店　33☐報攤　34☐OK便利店
35☐7-Eleven　36☐親友贈閱　37☐其他：＿＿＿＿＿＿＿＿

Q10. 你有去看〈大偵探福爾摩斯：逃獄大追捕大電影〉嗎？

38☐沒有觀看　39☐有觀看

Q11. 如有，哪些元素吸引你入場觀看？（可選多項）

40☐有追看小說 / 漫畫版　41☐朋友 / 同學介紹　42☐曾出席厲河老師座談會
43☐電影預告片吸引　44☐暑假消遣活動之一　45☐持電影戲票優惠券
46☐支持本地創作　47☐其他：＿＿＿＿＿＿＿＿＿＿＿＿

Q12. 你還會購買下一期的《兒童的學習》嗎？

48☐會　49☐不會，原因：＿＿＿＿＿＿＿＿＿＿＿＿